La vie moderne

VINCENT RAVALEC

Flammarion

LE DOIGT DE DIEU DANS UN CIEL TOUT BLANC *(romans)*

1 – Cantique de la racaille
2 – Wendy
3 – Nostalgie de la magie noire

Éditions J'ai lu

Cantique de la racaille (n° 4117/**5**)
Un pur moment de rock'n'roll *et autres nouvelles* (n° 4261/**2**)
Wendy (n° 4467/**4**)
Vol de sucettes. Recel de bâtons (n° 4579/**4**)
La vie moderne (n° 4842/**3**)

Le Dilettante

L'ACCOMPLISSEMENT DES PROPHÉTIES *(nouvelles)*

1 – Un pur moment de rock'n'roll
2 – Les clefs du bonheur
3 – Vol de sucettes
4 – Recel de bâtons
5 – La vie moderne
6 – Treize contes étranges *(à paraître)*
7 – Visite du monde entier *(à paraître)*

LE DANGER DES COURANTS ÉLECTRIQUES
(textes avec photos de C. Mariaud)

1 – Portrait des hommes qui se branlent
2 – Conséquence de la réalité des morts
3 – Attirance envers le vide *(à paraître)*

Le Dilettante

RÉCITS LITTÉRAIRES
L'auteur

Mille et une nuits

MINI-RÉCITS
P.E.P., Projet d'Éducation Prioritaire

Vincent Ravalec

La vie moderne

Éditions J'ai lu

Pour Valérie, Amélie et Benjamin

Et les hommes, sourds, aveugles et avides de mort, se précipitèrent en nombre vers ces immenses miroirs qui, pourtant, ne reflétaient rien d'autre que la lumière éblouissante du soleil.

(Ibn Seoud An Najdî,
Le Tombeau des prophètes.)

La vie moderne

On n'est pas des chiens galeux, disait la fille, je trouve que ça commence à bien faire, on n'est pas des chiens galeux.

Et mon pote qui somnolait à moitié depuis cinq minutes s'était levé brusquement et avait renchéri, elle a raison, je suis d'accord avec toi, ça commence à bien faire, on n'est pas des chiens galeux.

Dans le wagon tout le monde regardait dans le vague, le copain de la fille est passé avec des pin's, merci, merci, mais personne n'a donné, je suis de *Réverbère,* a dit mon pote, comme une dispense, les deux sont descendus en criant des insultes, enculés, enculés, la rame a redémarré, les laissant sur le quai, et mon pote a redit, cette fois-ci d'un ton plus pénétré, en réfléchissant en même temps, on n'est pas des chiens galeux, si t'y penses une minute c'est vraiment juste.

Certainement que tout ça a dû lui trotter dans la tête, la situation épouvantable du moment dont tout le monde parlait, la nouvelle misère sociale et les exclus, les exclus, parce qu'aux premières lueurs de l'aube j'avais eu droit à mon coup de fil, il avait pas mal gambergé pendant la nuit, j'ai pas mal gambergé tu sais, et il avait une idée à me proposer.

Une bonne idée. Vraiment.

– Je t'écoute, j'avais dit, vas-y.

Bon, en quelque sorte il était maintenant de plus en plus dur d'arriver à surnager avec les journaux, quant aux cartes pour les lépreux, activité principale de mon pote depuis des lustres, eh bien plus personne n'en voulait, les lépreux n'étaient plus un thème porteur, les lépreux pouvaient crever dans l'indifférence générale, la foule des clients sollicités s'en battait totalement.

– C'est pour ça que j'ai mis au point ce projet, petit pote, et à mon avis, avec toi dans l'affaire, on risque de cartonner très fort.

– Je t'écoute, avais-je redit, vas-y. Vas-y et ne me cache rien. Tu sais que nous sommes amis. Que je suis à ta disposition.

L'idée somme toute était fort simple. Il s'agissait de monter une association. Loi 1901. Aide aux personnes en difficulté, lutte contre l'exclusion et l'injustice.

– Avec retentissement dans les médias. Campagne journalistique et si possible télé.

Et si possible télé.

– Comment ça, et si possible télé ?

Si possible télé, eh bien petit pote, parce que tu vas être le parrain de l'association, le parrain éclairé que l'on mettra en avant, un peu comme le truc pour le cancer, avec ta photo, j'ai déjà prévu un titre fort, *Ce ne sont pas des chiens galeux*, avec tout un laïus balourd en dessous, pour faire mouche.

Nous avions observé de part et d'autre un petit instant de silence. Ma photo. Le cancer. Et des chiens galeux. Et la suite que je ne voyais que trop. Les millions détournés. Le scandale. Obligé de fuir à l'étranger, à moins qu'ils n'arrivent à me coincer avant et que je ne puisse éviter l'incarcération.

– Faut voir un truc, que tu brilles de partout, que tu fasses le beau avec tes histoires, d'accord, mais faudrait peut-être penser un jour à faire croquer les copains, non ?

Et là-dessus il touchait un point sensible, certains de mes récits publiés qui avaient eu un accueil favorable avaient pour origine des histoires où, ma foi, Henri tenait souvent un rôle important, bien sûr romancé, et pimenté, n'est-ce pas, d'une touche personnelle, mais le résultat était là, c'était moi qui en percevais les bénéfices, et non lui.

– Alors, qu'est-ce que t'en penses ?

– De ton projet d'association ?

– Oui.

– Ça me semble une bonne idée. Intéressante. Et certainement judicieuse, pour ne pas dire juteuse, dans le contexte actuel.

Certainement désarçonné par une approbation aussi directe, mon pote avait eu un petit temps avant de réembrayer.

– Et pour la photo, c'est bon aussi, ça te fait pas chier ?

Là, j'étais bien forcé de répondre que si, un peu.

– Pour être très franc, si, ça m'ennuie un peu.

J'ai senti qu'il préparait une salve d'arguments imparables et les muscles de mon corps tout entier se sont contractés, prêts à accueillir le choc.

– Réfléchis quand même petit pote, ça pourrait aussi être pas mal pour toi que les gens percutent que t'es pas qu'un écrivain plein de pèze qu'en a rien à foutre des autres. Montrer que tu grattes avec une association pourrait être bénéfique au point de vue de ton image. Beaucoup de stars le font et, crois-moi, si elles donnent là-dedans c'est qu'il y a une raison.

Là-bas, tristement recroquevillés dans leur petite assiette, mes œufs au plat, élément fondateur de mon brunch matinal, étaient en train de refroidir. J'ai fait semblant de réfléchir.

– T'as peut-être raison, j'ai dit, t'as peut-être pas complètement tort.

Me préoccuper des pauvres. Qu'on sente ma sensibilité profonde. Et leur griffer un maximum de thunes au passage.

– Parce que évidemment petit pote il est pas question une seconde que tu fasses ça gratos, il est bien clair que je te rebalance ton pourcentage au fur et à mesure.

Un pourcentage de quel ordre, j'avais failli demander, tu penses qu'on peut les escroquer de combien ? mais au lieu de ça j'avais dit pourquoi pas, pourquoi pas après tout, accablé, espérant que la conversation allait provisoirement prendre fin et que j'allais pouvoir me diriger vers mon petit déjeuner, déjeuner en paix, seulement mon pote avait encore quelque chose sur le cœur.

– Je t'écoute, j'avais dit, vas-y.

– J'aimerais bien que pour le conseil d'administration on prenne des gens vraiment top, on peut faire quelque chose de vraiment sympa avec ce truc, pas la peine de tout gâcher dès le départ avec des nazes.

Des nazes, quelle idée, il n'en était bien sûr pas question une seconde. J'avais raccroché, le mieux n'était-il pas de parler de tout cela face à face, de vive voix, vieux amis discutant d'un projet enthousiasmant, racketter les entreprises et les organismes sociaux, avec ma photo, et un laïus balourd, nous avions pris rendez-vous pour l'après-midi même.

– Alors, t'as pesé le pour et le contre ? T'as un peu fait tes comptes ?

Il y a des moments dans l'existence où il est possible de louvoyer, de se dégager à moindres frais d'une situation gênante. J'étais côté banquette, dans un café exigu, un jour gris et pluvieux comme en connaît régulièrement la capitale, le genre de temps où l'on a facilement un petit début de mal à la tête et rien qu'à l'idée de me retaper les embouteillages dans l'autre sens j'avais une sérieuse impression de fatigue. J'ai malgré tout pris mon courage à deux mains.

– C'est non, j'ai dit d'une voix ferme, tu ne peux pas utiliser ma photo. Ni mon nom. Je ne suis pas d'accord.

Il a accusé le coup sans broncher, son regard perdu dans le reflet de la glace, je m'en doutais petit pote, je me la donnais bien que cette fois on n'était plus trop sur la même longueur d'onde.

Et là-dessus la discussion a pris un tour curieux, il y avait une photo-poster de Coluche sur le mur, un portrait du comique lors de sa candidature à l'élection présidentielle, j'ai eu une autre idée petit pote, une autre idée qui vaut ce qu'elle vaut, mais je te la dis tout de même.

J'ai recommandé une verveine. Par chance j'avais du Doliprane sur moi.

– Dans un mois, ce sont les élections...

Le patron du café était en train de s'embrouiller avec une gitane et sa fille qui faisaient la manche.

– Et on parle beaucoup du problème social...

Vous êtes des gens néfastes, disait le type, des gens néfastes et malsains.

– Des exclus...

Je vous ai déjà expliqué qu'il était hors de question de venir mendier ici.

– Sois gentille, a fait mon pote à la gitane, lâche-nous, d'accord.

Et immédiatement dans la foulée il a ajouté les exclus n'ont personne, personne de sérieux, si jamais je me présente tu me soutiendras ? provoquant chez moi une approbation vague, mais oui, dans ce cas, c'est différent, pour une élection bien sûr, j'avais un super-coup de mou et ma foi s'il voulait devenir président, ou Premier ministre, ou pape, pourquoi ne pas l'y encourager.

– Comment comptes-tu t'y prendre ? j'ai questionné, l'esprit ailleurs. La gitane était en train de cracher dans notre direction en proférant des malédictions. Tu vas monter un parti politique ou faire plutôt cavalier seul ?

La question de l'utilisation abusive de ma photo était en tout cas provisoirement réglée.

De l'autre côté de la rue la gitane s'attaquait à un établissement concurrent.

– Ça petit pote, je sais pas encore, il est encore trop tôt pour le dire et un projet de cette envergure demande réflexion.

En rentrant chez moi, hasard du sort, il y avait un message tâtant le terrain pour savoir si je serais partant pour m'associer à un mouvement, bien sûr informel, soutenant un des candidats et j'avais pensé

« désolé les gars, mais j'ai déjà un poulain dans la course ». En m'endormant j'ai essayé d'imaginer mon copain débattant à la télé avec un des ténors du moment, mais sans y parvenir vraiment.

Quelques jours ont passé et tout à fait honnêtement cette histoire m'était totalement sortie de l'esprit. En général mon copain n'était pas en manque de projets, de projets... disons particuliers. Il y avait déjà eu l'hôtel-théâtre avec filles parisiennes au Viêt-nam, le rachat du cargo *Mazout* par un consortium de Corses trafiquant des faux billets dans le but d'organiser un gigantesque import-export d'herbe entre Saint-Nazaire et l'Afrique puis, le montage financier de cette opération ayant échoué, l'installation d'une gigantesque plantation de skunk au cœur du Périgord noir. Sans même parler du récital de chansons pour Billy Idol dont j'avais vainement cherché des jours durant le numéro de fax. Toutes ces petites entreprises se perdaient inévitablement dans les limbes et il n'y avait aucune raison particulière pour qu'il n'en soit pas de même avec la présidence de la République. C'est donc avec un léger temps de réaction que j'avais répondu à la voix affolée qui s'échappait de manière vrombissante du combiné téléphonique, mon copain avait du nouveau, du nouveau urgent, et il était nécessaire que nous nous retrouvions si possible dans l'heure, afin d'affiner notre stratégie.

– Notre stratégie... ?

J'avais foncé au rendez-vous, gyrophare et sirène hurlante, résigné par avance à une nouvelle matinée éprouvante. Mon copain n'avait pas voulu me dire exactement ce qu'il en était mais il nous fallait apparemment aujourd'hui même passer à l'action.

– Chaud bouillant, m'avait-il ânonné à peine assis, Mathis se présente, on doit réagir dans les vingt-quatre heures.

– Mathis qui ? je lui ai fait préciser, Mathis le clochard qui a monté *Réverbère* ?

– Ce sont les bruits qui courent, ça lui fout les glandes ce qui se passe en ce moment, et il pense qu'il est le mieux placé pour représenter les exclus.

J'avais pris une mine de circonstance, merde, effectivement, les boules, l'heure est grave.

Deux autres gars que je connaissais plus ou moins de vue étaient venus nous rejoindre et la discussion avait roulé sur *Réverbère,* les avantages et les inconvénients, ce que c'était au départ et ce que c'était devenu, et la galère infernale que représentait maintenant la vente au quotidien.

– Un cauchemar petit pote, un cauchemar que tu t'imagines même pas.

Un des deux gars, qui s'appelait Bordeaux, comme la ville, et d'ailleurs renseignements pris c'était effectivement l'étymologie de son nom, sa propre origine géographique, il vient de Bordeaux alors on l'appelle Bordeaux, enfin bref, toujours est-il qu'il s'en est mêlé, on a peu de temps devant nous tu sais, Mathis a l'air déterminé, l'idéal serait de faire une annonce aux journaux avant ce soir.

Et l'autre, qui n'avait pas ouvert la bouche jusque-là, a proféré : « *Tous les Etats, toutes les puissances qui ont eu et ont autorité sur les hommes, ont été et sont républiques ou monarchies. Les monarchies sont, ou héréditaires, si la lignée du souverain y a régné longtemps, ou bien sont nouvelles* », provoquant une approbation de mon pote, il tape *Réverbère* pour se payer ses études de philo, c'est une tête.

– Ah, j'ai dit au jeune, tu fais de la philo ?

En fait, oui, il était en Deug, s'appelait Philippe, et effectivement, suite à une engueulade avec ses parents, habitait, comme d'ailleurs Bordeaux, dans le petit appartement H.L.M. de mon pote.

– C'est le théoricien du mouvement, c'est lui qui a eu l'idée pour les chiens galeux, « On n'est pas des chiens galeux », avec nos blazes en dessous, et un sous-titre, « Les exclus dans le jeu politique ».

– Comme pour le cancer ?

– Exactement, comme pour mon idée d'association...

Il y a eu un temps mort, eux trois qui me regardaient, le spectre du président flottant de manière insidieuse, Bordeaux avait un pull moulant et des chaussures de cycliste. D'après ce que m'avait expliqué mon copain, il faisait du vélo.

– L'idée c'est de se prendre un maximum sur le remboursement des frais de campagne. On leur balance des factures balourdes et normalement, pour des sommes raisonnables, les vérifications sont rares.

– Combien, j'ai aussitôt demandé, t'as déjà pensé à un chiffre ?

C'est Bordeaux qui a répondu, quatre cent mille, maxi cinq cent mille, on préfère viser peu mais sûr, que de se lancer dans un délire qu'on pourra jamais toucher.

J'ai approuvé vigoureusement, indéniablement il valait mieux être raisonnable.

– Un tiens vaut mieux que deux tu l'auras, a émis Philippe.

Et Bordeaux a recommandé une bière.

– Reste maintenant à savoir comment on va s'y

prendre pratiquement. Tu te doutes bien qu'au départ tes relations vont avoir un grand rôle à jouer.

– Evidemment, j'ai dit, je m'en doute un peu.

Le garçon est venu déposer la bière de Bordeaux, mon pote a pris un cognac et Philippe carrément une coupe. T'inquiète pas, m'a précisé Bordeaux au moment où je payais, ce sera sur les frais de campagne.

– Bon, j'ai fait, dans ce cas-là alors je garde les tickets.

Cent vingt-deux balles de conso dès les cinq premières minutes, l'élection démarrait très fort.

– Tu penses pouvoir les taper à quel niveau ? s'est enquis Philippe. Tu connais des patrons de journaux, des rédacteurs en chef ?

Dans le fond je me demande si je ne préférais pas la Recherche sur le Cancer.

– Quelques-uns oui, mais je ne peux pas franchement dire que ce soient des potes, plutôt des gens que j'ai croisés une fois ou deux...

– Mais Poivre d'Arvor, tu le connais ?

De nouveau, j'avais un début de migraine.

– Tu fais du sport avec lui, a renchéri Bordeaux, tu le connais du Racing ?

– Comment ça, du Racing ?

Bordeaux a eu un froncement de sourcils soupçonneux en direction d'Henri.

– Tu m'as bien dit qu'il était au Racing avec P.P.D.A. ?

– Pas exactement, s'est défaussé mon pote, je t'ai dit qu'il jouait au foot avec P.P.D.A., tu m'as demandé si c'était au Racing, vu que selon toi au Racing il n'y a que des blindés archi-connus, et je t'ai répondu, oui, certainement.

Moi et P.P.D.A., ruisselant d'une saine sueur, dans les vestiaires d'un club chic et discutant de l'opportunité de donner un petit coup de main au 20 heures à cette jeune et si sympathique formation politique, Les Chiens Galeux.

– Ah d'accord, m'a dit Bordeaux, ça commence bien, en fait c'est de la flûte, tu ne connais pas P.P.D.A. !

– Si, j'ai admis, je le connais.

– Parce que s'il le connaît pas, autant te dire que ça vaut même pas la peine qu'on se casse le cul, sans P.P.D.A., les cinquante patates c'est clair qu'on peut s'asseoir dessus.

Là-dessus la discussion a dérivé sur le problème malencontreux qu'avait eu la star récemment et qu'il n'était pas dit du tout qu'il puisse se mouiller dans notre projet, ceci dans le cas où on lui aurait proposé un pourcentage du magot.

– Parce que s'il croque pas c'est différent, il peut très bien parler de nous de manière désintéressée.

– Qu'est-ce que tu fais, a demandé Philippe, tu l'appelles ?

Là c'est vrai que j'aurais pu prétexter de ne pas avoir le numéro, ou dire ah mais oui, j'ai mon carnet de téléphone dans la voiture, je reviens tout de suite, et me barrer à fond, non vous n'êtes pas des chiens galeux, au revoir les petits amis, au revoir et à bientôt, mais au lieu de ça je me suis levé et j'ai demandé au garçon s'il était possible de téléphoner.

– Mais il n'a pas de portable, s'est étonné Bordeaux, il n'a pas le S.F.R. ?

Le point phone était juste de l'autre côté du bar, dissimulé derrière le truc à cacahuètes ; d'où ils étaient Les Chiens Galeux pouvaient percevoir la conversation mais quand même pas de manière distincte.

– Allô, j'ai dit d'un ton ferme, allô j'écoute.

Dans le combiné résonnait une voix qui m'était étrangement familière, en fait, pour tout dire, ma voix, énonçant le message de mon répondeur.

– Oui, Patrick..., c'est moi !

Avec son visage se dessinant sous une publicité pour La Belle Sandrine, apéritif de marque, Bordeaux ressemblait à un ersatz de l'Ombre, ennemi mortel de Sam Païput. Sam Païput était un aventurier, un peu sans scrupule, un peu vénal, mais avec un bon fond, et l'Ombre lui faisait toujours des galères.

Sam Païput et l'Ombre étaient les héros récurrents de mes derniers livres.

– Oui, tu penses donc que c'est la meilleure solution.

– ...

– D'accord Patrick, pas de problème, je te tiens au courant.

J'ai raccroché, j'étais en nage. Alors ? a fait mon pote, et je lui ai demandé d'un petit geste de patienter. Il était plus qu'évident que ce subterfuge n'allait pas suffire, non. Penser qu'il était possible d'abuser Les Chiens Galeux d'une manière aussi grossière était une erreur stupide que Sam Païput n'aurait certainement pas commise. Tout en compulsant rapidement mon répertoire, j'avais enclenché une autre pièce dans l'appareil.

Dieu merci la personne à laquelle je pensais était là.

– Voilà, j'avais chuchoté, j'ai une petite galère, j'aurais besoin de deux ou trois renseignements.

Cinq minutes plus tard j'étais allé me rasseoir, la mine sombre. Malheureusement, malheureusement, aucune candidature n'était, dans l'immédiat, possible.

– Pourquoi, avait calmement demandé Philippe, quel est le hic ?

Le hic, ma foi, était assez simple, en tout cas facilement compréhensible, même pour un esprit peu formé aux subtilités du jeu civil.

– Il faut cinq cents signatures de maires. Il faut un casier vierge. Désolé Les Chiens Galeux. Désolé. Vraiment.

Sur la table un emballage de morceau de sucre baignait dans une petite flaque de bière.

– Le coup de pas de bol. Le super-coup de pas de bol.

Mais ils ont continué à me fixer, apparemment pas plus émus que ça, trois statues de marbre candidates à une élection concernant l'avenir de la nation.

– T'inquiète pas petit pote, a dit mon copain, on est au courant.

Et Philippe s'est lâché complètement :

– « *Comme dans un Etat libre, tout homme qui est censé avoir une âme libre doit être gouverné par lui-même, il faudrait que le peuple en corps eût la puissance législative ; mais comme cela est impossible dans les grands Etats et est sujet à beaucoup d'inconvénients dans les petits, il faut que le peuple fasse par ses représentants tout ce qu'il ne peut faire par lui-même.* »

J'ai failli demander si quelqu'un avait du Doliprane, j'avais un autre rendez-vous dans moins d'une demi-heure et quarante mille trucs à faire d'ici la fin de l'après-midi.

– Montesquieu, nous a éclairés Philippe, *De l'esprit des lois.*

– C'est pas un problème les signatures, a contre-attaqué Bordeaux. Tu te rappelles Coluche, comment il les a mis dedans, les signatures il les avait pas et son casier était pas vierge.

– Certes, j'ai admis, certes...

– Et tu sais combien il a pris Coluche avec cette histoire de présidentielle ?

– Non, j'ai reconnu, je l'ignore.

Eh bien d'après l'audit effectué à vue de nez par les services comptables de mon copain, le comique avait, en retombées directes mais aussi indirectes, tu comprends il faut tout prendre en compte dans une opération comme celle-là, engrangé pas loin de cinquante millions, cinquante fois cent patates petit pote.

– Ça vaut tout de même le coup qu'on se bouge un peu, non ?

Là-dessus j'ai réussi à me dégager, Bordeaux et Philippe devaient foncer à *Réverbère* sentir le vent et voir ce qu'il en était, si Mathis se déclarait ou pas, de manière à pouvoir le contrer, et mon pote avait un rancard pour vendre du shit.

– Je passe chez toi tout à l'heure, t'essaies d'aviser d'ici là qu'on puisse être au maxi efficace.

Le reste de la journée s'était déroulé dans une atmosphère bizarre, les derniers sondages jaillissaient des kiosques à journaux, le tocard du début remontant de manière spectaculaire, lui-même poursuivi par un autre que l'on n'attendait plus.

Lorsque j'étais arrivé chez moi, fourbu et flapi, après un périple épuisant, mon pote était déjà là, assis sur les marches de l'escalier, un « Que sais-je ? » à la main, *La Psychologie politique*, qui semblait retenir toute son attention.

– Bon bouquin, a commenté Henri, sacrément petit bon bouquin !

La première phrase de l'introduction commençait par ces mots : « *Il y a deux façons de considérer la politique, comme une invention ou comme un destin...* »

Posé en évidence dans un coin de la salle à manger le répondeur affichait plusieurs messages.

– Bonne nouvelle petit pote, Mathis n'est pas encore sûr de se lancer, on va le griller avant qu'il ait eu le temps de comprendre d'où ça vient.

Messages sur lesquels devait se trouver ma conversation avec Patrick Poivre d'Arvor.

– Simplement, il faut balancer l'information à l'A.F.P. au plus tard demain matin.

Pour la saison il ne faisait pas beau. Pas beau du tout. Un mois d'avril pourri.

– Philippe envisage de tenir une conférence de presse dans l'après-midi, à ton avis on peut compter sur combien de journalistes ?

Je sentais mon carnet d'adresses redevenir d'une actualité brûlante. J'aurais bien pris une douche. J'avais besoin de me délasser.

– Pour l'instant j'ai lancé des pistes, j'ai bêtement biaisé. J'attends les retours, on doit me rappeler.

Mon pote a hoché la tête, *La Psychologie politique* se balançant toujours tranquillement dans le creux de sa main.

– Alors dans ce cas, pourquoi t'écoutes pas tes messages ?

J'ai eu un moment de flottement, ma voix déformée par le haut-parleur du répondeur se répandant dans la pièce, l'ignoble menteur démasqué...

– Non, c'est bon, ceux-là je sais qui c'est, ça me prend la tête.

Et à cet instant précis, exactement de la même manière que la maman de Dolorès se faisait écrabouiller par une voiture, sauvant Humbert Humbert d'une situation épouvantable, le téléphone a sonné, interrompant mon pote dans son élan vers la touche lecture-message de l'appareil.

– Allô, j'ai respiré, allô j'écoute !

Chance j'ai pensé, soulagé, chance et possibilité de m'échapper de manière élégante de ce guêpier.

– Comment ça va, je me suis exclamé, je suis vraiment content que tu m'appelles.

Le gars au bout du fil était journaliste, un vrai avec une carte de presse, toujours bien sûr à l'affût de ces grands mouvements mystérieux qui agitent le monde, en l'occurrence aujourd'hui, avec ces histoires d'élections, la politique, la politique et les exclus.

Les exclus.

– Ah ouais, il a fait, mais il y a déjà le D.A.L. qui fait un truc, demain après-midi, ils vont avoir personne tes potes.

– Le D.A.L., a grommelé Henri à côté de moi, vas-y laisse tomber.

– Tu crois que c'est grillé complet ?

– Ils peuvent aussi se servir du truc, essayer de se greffer sur la conférence de presse, avec les personnalités qui doivent venir, les télés vont se déplacer, c'est évident.

Et c'est comme ça que tout a commencé, d'une manière bizarre, et sans que personne ait pu dire que c'était autre chose qu'un coup de hasard, la can-

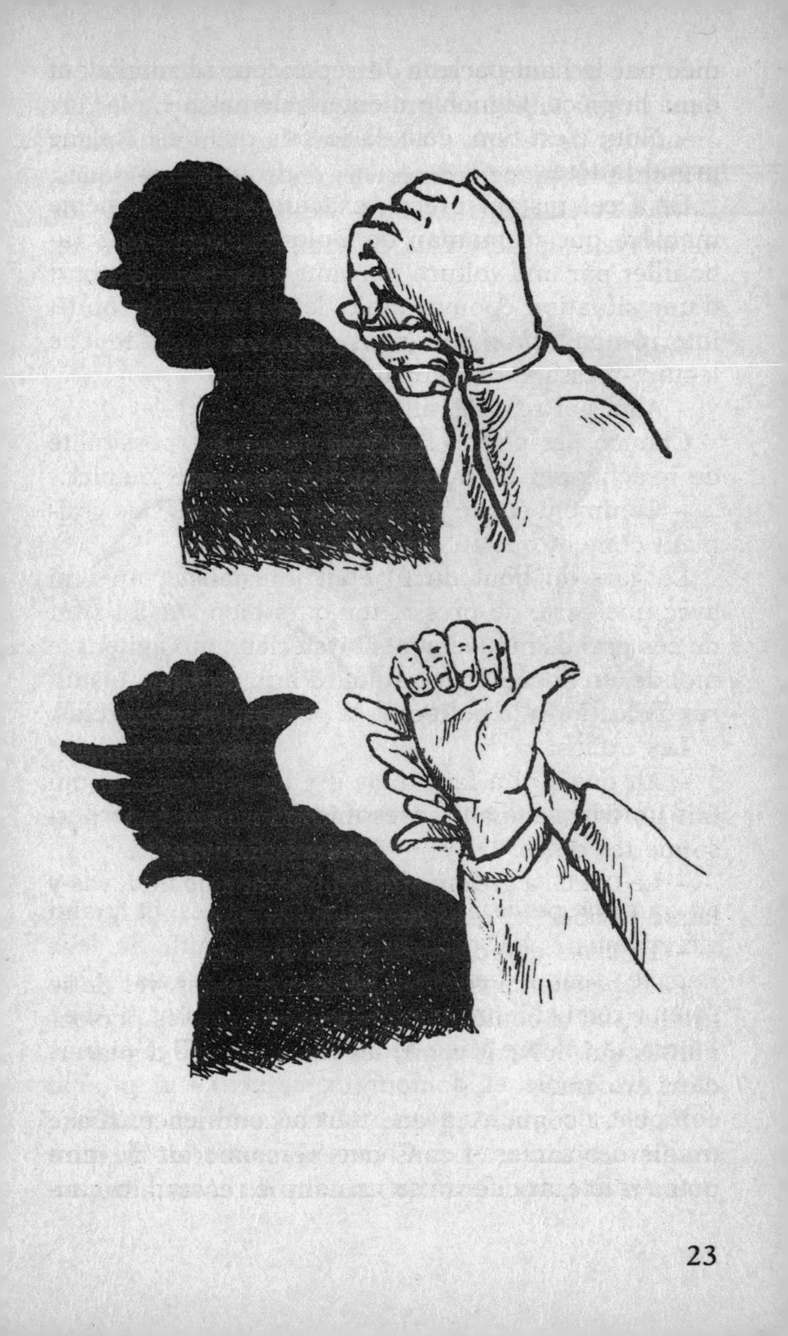

didature de mon pote à l'élection présidentielle ; le lendemain, telle une présence sournoise tapie aux alentours de la rue du Dragon, Les Chiens Galeux avaient pris place à différents endroits stratégiques, Bordeaux et Henri avaient rameuté du monde de *Réverbère,* que des vrais de vrais triés sur le volet,

L'exclusion, les S.D.F., allaient être un thème porteur de cette nouvelle campagne présidentielle.

en tout une petite quinzaine de personnes, et quand effectivement les télévisions avaient jailli de leur Espace, tout à cette histoire de logements et de squats réquisitionnés, Monseigneur Gaillot, l'Abbé Pierre, la célèbre Miou-Miou et Jacques Higelin unis dans un noble et douloureux combat, un groupe compact de gueux avait marché sur les médias ; exclus des exclus, Les Chiens Galeux sont là, mon pote en tête, vociférant et, autant le reconnaître, ne manquant pas de panache, général perdu à la tête de son armée, exclus des exclus, Les Chiens Galeux demandent la parole.

Evidemment arriver comme ça, un peu sans gêne, dans un truc hyper-organisé et prévu de longue date, en criant des slogans agressifs et en la ramenant comme une troupe de gaillards échappés de la cour des miracles, pour les mecs du D.A.L. il y avait de quoi l'avoir un peu sec, et c'était net que certains masquaient carrément mais d'un autre côté, merde, on était des exclus, de manière évidente, honnêtement ceux d'en face ne tenaient pas la comparaison et d'ailleurs les journalistes ne s'y sont pas trompés, en un quart de seconde c'était la folie, la bousculade, des micros se tendaient et mon pote, clignant des yeux dans le faisceau des torches, délivrait aux yeux du monde interloqué son message d'espoir et de foi en l'avenir.

« Nous sommes une société de plus en plus duale. Je n'apprendrai rien à personne en disant que la situation de milliers d'exclus, que notre situation, va en empirant. Pas une nuit, pas une heure où, jetés à la rue par une société qui cultive, sans souci de ses enfants, uniquement l'égoïsme et le profit, des êtres humains perdent pied dans l'indifférence générale.

» Nous, Les Chiens Galeux, entendons que cet état de fait, nuisible pour l'individu, mais aussi pour le corps social, cesse, et pour ce faire nous nous présentons à l'élection présidentielle. »

Il a replié son petit papier.

A bon entendeur, j'ai soufflé, rajoute à bon entendeur. Son visage s'est relevé vers les objectifs, il avait une expression décidée que je ne lui connaissais pas. Une expression décidée et émue.

– **A bon entendeur, salut !**

Ma foi, avouons-le, sollicité pour la rédaction de cette déclaration, j'y avais, modeste contribution à la résorption de la fracture sociale, mis mon grain de sel. A bon entendeur, par exemple, était un détail important, clôturant la conférence de presse et en même temps induisant une suite.

– Je suis mort, avait dit mon pote peu après, rincé !

Et afin de nous remettre, on avait été boire un coup un peu plus loin, au tabac rue de Rennes, où, hasard du sort, un gars du D.A.L. était entré, avec une fille, une rousse que j'avais déjà repérée rue du Dragon, provoquant immédiatement un mouvement de méfiance de notre groupe. Mate, t'as vu qui c'est, le type avait traversé dans notre direction et on avait eu droit à un petit débat sur l'utilité de grouper nos forces et que, bien sûr, pas de problème, c'était vraiment bien que l'on se bouge comme ça, mais là on avait un peu foutu la merde.

– C'est pas si facile de faire venir la télé et si quand elle vient c'est pour filmer quelqu'un d'autre on n'a plus qu'à rester couché.

Je ne sais pas si le mec était vraiment exclu ou si c'était plutôt le genre apparenté. A mon avis plutôt le genre apparenté. Et peut-être même pas exclu du tout, plutôt qui s'intéresse de près.

– Je comprends, avait dit mon pote, je comprends...

Et là, assez finement, alors que je m'attendais à ce qu'il envoie chier le jeune, allez dégage, retourne chez maman, j'ai quinze ans de tape derrière moi, tu vas pas m'apprendre la vie, il avait louvoyé et pris le mec par les sentiments.

– Je comprends, mais tu sais on n'en peut plus, on est à bout, faut que ça sorte, sinon on va crever comme des rats sans qu'un seul de ces pourris d'enculés réagisse.

Ce qui avait permis au jeune d'embrayer franco, c'est sûr, les pourris, les salauds, quand tu penses à ce qui se prépare si l'autre passe, je te dis pas comment je flippe.

– Exactement, l'a approuvé mon copain, voilà pourquoi j'ai décidé de me présenter. Si personne ne se réveille, je ne vois pas très bien à l'heure qu'il est ce qui pourrait barrer la route à ce gros salopard.

Normalement les images prises devaient passer au journal vers vingt heures cinq, c'est donc en groupe compact que nous avons remonté la rue de Rennes en direction du centre commercial où, d'après Bordeaux qui allait souvent y regarder le sport, l'on se ferait une joie de nous accueillir.

– Je suis crevé, a redit mon pote, jamais je n'aurais pensé que c'était aussi dur de passer devant une caméra. Je comprends qu'ils soient bien payés, honnêtement ça le mérite.

Le rayon électroménager était au troisième étage des Galeries Lafayette et dès notre arrivée, quinze gueux empestant la bière dans les escalators, les surveillants étaient accourus, alors que le journal venait de commencer, et hallucination des hallucinations, le visage d'Henri, plein pot sur les écrans, se multipliait à l'infini à travers un mur de téléviseurs... **Pas une nuit, pas une heure... et, nous, Les Chiens Galeux, entendons que cet état de fait cesse...** il y avait presque de quoi en avoir des frissons, c'est lui, a dit quelqu'un au vigile, c'est lui et il se présente aux élections.

Mission accomplie, m'étais-je murmuré en quittant le centre commercial, j'avais un train dans les cinq minutes et j'en avais profité pour fausser compagnie à notre joyeuse assemblée, il était question d'aller fêter ça dans un café breton de l'autre côté de la rue et je n'avais qu'une envie moyenne de m'appuyer les frais de la beuverie, frais certes remboursés sur le budget de la campagne, mais en attendant niveau trésorerie ça risquait de me faire un peu lourd.

Sam Païput et l'Ombre, voilà à dire vrai quelles étaient mes préoccupations en arrivant chez moi, me remettre aux aventures trépidantes de mon héros, vision allégorique du monde d'aujourd'hui, une épopée ironique et distanciée aux quatre coins de la planète, et j'étais en train d'affûter de nouvelles directions possibles pour l'épisode en cours, Sam Païput allait-il devoir accepter un contrat mirifique, mais à la finalité vénale et mercantile, lui faudrait-il vendre son âme afin de réunir un budget suffisamment important pour contrer l'Ombre ? quand, comme d'habitude, le téléphone avait sonné, allô, allô, et déjà c'était parfois pénible quand on me demandait moi, le légitime propriétaire de l'abonnement Télécom, mais d'entendre bonjour j'aurais désiré parler au responsable des Chiens Galeux, une immense lassitude m'avait saisi.

– Oui, c'est à quel sujet ?

Eh bien, la jeune fille que j'avais à l'appareil était tout à l'heure rue du Dragon et c'est d'ailleurs Henri qui, à mon insu, lui avait communiqué mes coordonnées, tu peux appeler là-bas, c'est notre P.C. de campagne, et elle avait été réellement, mais franchement vous savez, touchée par la déclaration du candidat et peut-être une interview plus poussée, un portrait, serait-il possible ?

– J'ai l'impression qu'il s'agit de quelqu'un de particulièrement authentique, j'espère qu'il ne sera pas gêné de ma requête.

– Je ne sais pas, avais-je tergiversé, peut-être, peut-être pas, le mieux est que je lui transmette vos coordonnées et qu'il vous rappelle.

Et le croirez-vous, mais en une heure le téléphone avait encore sonné deux fois, les deux autres chaînes, à qui gentiment Henri avait également communiqué les coordonnées du P.C., toujours dans la même optique, un portrait, une interview approfondie, prise sur le vif vous comprenez, qui restitue la vérité de votre ami.

Bien sûr dans les trois cas il s'agissait de quelque chose d'extrêmement pressé, à croire que la télé allait tomber en panne dans les vingt-quatre heures si mon copain n'y apparaissait pas.

– Tu ne vas pas le croire, j'avais dit le lendemain, t'es invité à *7 sur 7* !

– Non, il avait blêmi, c'est pas vrai, j'en étais sûr.

Bon, non, effectivement, c'était pas vrai, mais on n'en était tout de même pas loin.

– Qu'est-ce que tu vas faire, je l'avais taquiné, tu vas accepter ?

Page soixante-quinze de *La Psychologie politique* était écrit : « *Dans les démocraties, le discours politique se déploie d'abord pour séduire. Lorsqu'il feint même d'expliquer, c'est pour séduire encore, sur un mode plus réfléchi. La séduction exercée peut faire l'objet d'une stratégie ; la séduction éprouvée ne se raisonne pas.* »

– C'est une histoire d'amour petit pote. La politique c'est une histoire d'amour.

Passer à la télé était le b.a.-ba, le début de la séduction, l'électorat devait être conquis, et se faire connaître passait par une communication multimédia. On avait rappelé les journalistes dans la seconde.

Après, tout s'est enchaîné très vite. En deux jours Les Chiens Galeux avaient acquis une existence quasi officielle, « Nous ne sommes pas des chiens galeux », avec le visage de mon pote apostrophant la France tout entière au plus profond de sa sensibilité, le numéro de téléphone du P.C. avait dû abondamment circuler parce que j'étais obligé de laisser le répondeur branché en permanence, les demandes et invitations diverses pleuvaient et, comme avait justement énoncé Henri, il s'agissait maintenant de garder la tête froide.

– Pas facile ça, petit pote, pas facile du tout.

On était chez moi, épuisés, j'avais dû faire le plein de bière et mon intimité jusque-là préservée avait explosé sous les coups de boutoir répétés du succès, c'est pas ce soir que tu vas faire la chochotte, on est en train de faire un carton et tu vas être le premier à en bénéficier.

Jusqu'à maintenant, chance inouïe, mon nom n'avait pas encore été publiquement cité, j'avais réussi à passer au travers des mailles du filet, les journalistes s'en battaient profond de savoir que oui, le père de Sam Païput et de l'Ombre avait un lien direct avec tous ces charmants S.D.F., sympathiques et dynamiques, mais Henri se promettait de réparer ce petit oubli à la première occasion.

– Je te raconte pas comment les ventes vont s'emballer, dès que les gens vont percuter que t'es à fond dans le truc associatif et que tu te bouges pour les exclus. Tes bouquins vont s'arracher mec, c'est évident.

Ma salle à manger était envahie, moi qui ne fumais plus, d'un épais brouillard et, à court de liquide, j'avais dû m'appuyer d'un chèque chez l'Arabe. A midi on avait eu la Trois, à quinze heures la Deux, puis encore la Trois pour une autre émission, Henri, maquillé, s'était prêté complaisamment au jeu de la caméra, il avait fait la manche boulevard Saint-Germain, roulé un joint et avalé une boîte de Néocodion sur les marches de l'église Saint-Sulpice, tu peux la refaire s'il te plaît, on était en fin de bande, tout en exposant ses thèses et ses revendications.

Inutile de dire qu'à vingt heures trente-cinq, lorsque Jean-Edern Hallier avait téléphoné, salut, comment ça va, je t'appelle au sujet de ce type dont tout le monde parle, mon pote était dans un état second.

– C'est Jean-Edern, j'avais dit à mon copain, il veut te dire quelques mots.

Bordeaux avait déniché dans ma bibliothèque un livre sur le vélo et Philippe coupait une plaque de shit sur le dessus du Frigidaire. Mon logement tout entier allait empester la drogue et le tabac froid.

– Oui, disait Henri au téléphone, oui je comprends, ça peut être intéressant pour tout le monde.

Une demi-heure plus tôt on avait fait un point sur la marche à suivre maintenant, comment rentabiliser le début des opérations, l'argent et les subventions, c'est ça qu'il ne fallait pas perdre de vue. D'accord, avait encore redit mon pote, je vous attends, à tout de suite.

– Qu'est-ce qui se passe, j'avais bondi, ils viennent, on fait réunion générale ici ?

Henri avait secoué la tête, certainement agacé par mon manque de coopération, non, c'est bon, il envoie une voiture, Jean-Edern veut me voir. Il veut qu'on discute.

A ce moment-là, la situation intérieure était des plus confuses, quatorze ans d'hégémonie politique des Forces du Progrès avaient laissé une impression malsaine d'affaires louches et de népotisme, le pays aspirait donc au changement, changement que se proposaient d'animer trois candidats, dont, détail cocasse, deux appartenant au même bord, et qui plus est longtemps amis proches et associés. D'après ce que j'en savais, Jean-Edern, qui avait parfois gratifié d'un mot gentil les aventures de Sam Païput, s'était lancé dans le soutien actif d'un des deux candidats ennemis, celui que tout le monde annonçait grand perdant de l'épreuve, mais que les sondages donnaient, aux dernières nouvelles, curieusement comme un gagnant possible.

– C'est qui ce mec-là ? avait demandé Bordeaux, au sujet de Jean-Edern, c'est un homme politique ?

– Non, avait répondu Philippe, c'est un chanteur, il s'est fait enlever par la Mafia il y a quelques années et sa femme avait dû payer une rançon.

– En tout cas, avait précisé Henri, il a l'air cool, il nous invite à becqueter.

Le klaxon d'un véhicule s'est fait entendre, j'ai ouvert les fenêtres pour aérer et chasser l'odeur tenace du tabac et des joints, les cadavres de bouteilles traînaient partout, avec des mégots glissés dedans, dans le petit fond de Heineken, ô mon pauvre logement dévasté, Henri a crié c'est bon, on arrive, l'air était doux, il avait plu peu avant, dans quinze jours précisément avait lieu le premier tour de l'élection présidentielle.

La voiture nous a déposés dans une rue proche de la porte Maillot, devant une devanture austère qui, ma foi, ne payait pas de mine. C'est là, a dit le chauffeur, il faut entrer. Derrière la porte une grosse tenture occultait le passage, mon pote a fait un pas et, un peu comme dans ces contes de fées où la caverne humide et sombre se transforme en palais de jade, une douce lumière et une musique cristalline nous ont enveloppés, au fond de la salle quelqu'un assis à la droite de Jean-Edern nous a fait signe d'approcher, nous étions dans un grand restaurant.

– C'est trop, m'a glissé Henri, t'as vu comment ils sont cachés, à tous les coups c'est pour pas qu'on se la donne que les blindés viennent bouffer là.

Sur ces bonnes paroles nous nous sommes serré la main, les Jean-Edern's et Les Chiens Galeux, et moi au milieu, faisant les présentations, Henri, Jean-Edern, Bordeaux, Jean-Edern, juxtaposition incongrue sous le regard impassible du serveur ; moi c'est Lion, a annoncé Philippe, comme l'animal. A la suite des interviews de l'après-midi il avait été décidé de rebaptiser Philippe en Lion, surtout ajouté à Henri, Philippe craignait un peu et risquait de faire franchouillard alors que Lion, tu sais comme le dealer zaïrois rue de Flandre, pimentait d'une touche d'exotisme notre petite association.

– Lion, mais alors vous devez connaître Joseph Kessel, a émis Jean-Edern, et nous avons tous ri de confiance à cette subtile boutade, Lion, comme l'animal a redit Philippe, et peut-être inquiet que l'autre n'ait pas encore bien compris il a fait raooww à deux centimètres du visage de Jean-Edern, Bordeaux s'est assis, moi aussi, Henri a demandé s'il y avait quelque chose à boire et Omar a commandé du champagne.

– C'est qui celui-là, c'est son assos ?

– Non, j'ai chuchoté, plutôt son premier lieutenant, ils sont toujours ensemble, tu vas voir il est relax.

Le serveur a amené deux seaux à glace avec ce qu'il fallait dedans, Jean-Edern s'est renversé en arrière, intervenant occulte d'une campagne compliquée et, disons-le, loin d'être gagnée d'avance. Je savais par un camarade qu'il y a quelques jours encore il se demandait s'il avait fait le bon choix. Les candidats doubles, ceux du même camp mais aujourd'hui ennemis, n'avaient pas exactement le même profil, l'un, vieux routier, déjà favori malheureux par le passé, était plutôt sec, battant et fonceur, avec une réputation de bandeur et de bon vivant, en opposition à l'autre, tout en rondeurs, byzantin et enveloppé, Jean-Edern, pour des raisons que j'ignorais, avait choisi le premier.

– Excellent, a émis l'écrivain, excellente ta prestation de tout à l'heure. J'ai adoré.

Mon pote a approuvé de la tête, simple sous le compliment. Omar lui a resservi une coupe.

– Surtout comment tu t'es présenté à la fin.

Aux J.T., mon pote avait conclu par ces mots : mon blaze, c'est Henri, Henri Leconte, comme le tennisman, sauf que moi je ne joue pas à Roland-Garros et que je ne suis pas millionnaire.

– Excellent, a redit Jean-Edern, vraiment excellent, avant d'ajouter, grave mais aussi léger et un peu moqueur comme il savait si bien le faire, ce sont des gens dans ton style qu'il nous faut !

J'ai noté qu'il avait appuyé sur *style.* Le style de mon pote.

Le style d'Henri Leconte.

La suite avait roulé sur l'ignominie dont s'était rendu coupable le Byzantin, que Jean-Edern appelait Loukoum, un gros mou, qui plus est doublé d'un pédéraste.

– Quoi, s'était exclamé Bordeaux, une tante, t'es sûr ?

Jean-Edern avait souri, du sourire de celui dont malheureusement les lumières de la vérité illuminent l'esprit, et Omar, qui s'était éloigné avec le portable pour passer un mystérieux coup de téléphone, a reçu l'ordre d'approcher.

– Omar a certains contacts privilégiés dans le milieu gay parisien...

Bon, en gros, il était notoire que Loukoum, ivre de stupre et de débauche, s'enculait joyeusement avec son ministre chouchou, un B.C.B.G., que toujours de source sûre le petit personnel avait surnommé Tranche de Cake, suite à sa manie de venir goûter, un-thé-et-une-tranche-de-cake-s'il-vous-plaît-il-est-délicieux, dans les salons de Matignon.

– Putain, a recommenté Bordeaux, visiblement soufflé, quand tu penses que ma mère veut voter pour lui, Loukoum qui se poinçonne Tranche de Cake, sincèrement j'aurais jamais cru.

Dans son long et douloureux combat contre l'Ombre, Sam Païput avait eu autrefois des moments de doute, d'hésitation, héros moderne n'échappant pas aux tourments d'une remise en question, j'avais prévu lors des prochains épisodes de le confronter avec une sorte de sorcier, de démiurge étrange, aux pouvoirs surnaturels. Un moment j'avais caressé l'idée de m'inspirer de Jean-Edern pour ce personnage.

– C'est vraiment vrai ? a soupçonné mon pote, et Jean-Edern a tapoté le bout de son cigare dans le cendrier, t'es sûr de ce que tu avances ?

Au chapitre V de *La Psychologie politique*, bréviaire dont Henri maintenant ne se séparait plus, petit livre corné déformant de son volume rectangulaire la poche de son veston, il était écrit – le chapitre s'intitulait d'ailleurs « Politique de la rumeur » – : « *La rumeur hante les sociétés, les meilleures têtes y succombent, les mieux prévenues s'y laissent prendre, l'impossible tourne au plausible* », et, plus loin, « *La rumeur apparaît ainsi, fondamentalement, comme une des figures du jeu social, ce qui ne peut manquer de poser la question de son articulation avec le politique. Elle est une fable, mais au sens que donne le* Robert : *un "petit récit" destiné à illustrer un précepte.* »

Un peu de fumée s'est déportée dans ma direction, me donnant envie de tousser. Fin, ton copain, pertinent, a approuvé Jean-Edern, avant de continuer, en s'adressant à Bordeaux, que va faire ta mère quand elle va apprendre que son préféré a un giton, va-t-elle encore voter pour lui ?

– Certainement pas, s'est exclamé Bordeaux, apparemment pas encore tout à fait pénétré des subtilités de la communication politique, je te dis pas comment je vais l'appeler dès demain matin, j'ai beau faire du vélo les pédales chez nous ça a jamais eu bonne presse.

Jean-Edern et mon pote se sont regardés, c'est comme les échecs, a prononcé Jean-Edern, on avance ses pions au fur et à mesure et on attend, dans le même genre si ça t'intéresse je te conseille *L'Art de la guerre*, de Sun Tzu, là tu vas voir c'est grand.

On a encore continué à glousser un peu, son giton, sa petite femme, Loukoum et Tranche de Cake, et puis on est rentrés, raccompagnés par Omar, non sans avoir obtenu un rendez-vous en bonne et due forme avec un responsable, tu comprends avait sous-entendu mon pote, on a des frais. Des frais énormes.

Le lendemain matin, à l'instant pile où mes tartines jaillissaient, finement dorées, du grille-pain, la sonnerie retentissait, dring, dring, ô ma quiétude perdue ; les Forces du Progrès prenaient contact avec le P.C. des Chiens Galeux.

Apparemment leur service de renseignements fonctionnait dix sur dix parce que mon interlocuteur était déjà au courant de notre rencontre avec les Jean-Edern's.

– C'est bien d'être dynamique, c'est formidable, mais le mieux serait peut-être que l'on se rencontre. Historiquement nous sommes quand même vos supporters naturels.

L'autre rendez-vous, avec le Parti des Pommes Rouges, celui du concurrent de Loukoum, était prévu pour dix-neuf heures, moi aussi je commençais à me prendre au jeu, après tout pourquoi ne pas tenter l'impossible, faire élire Henri, mon copain, vendeur de cartes pour lépreux et de *Réverbère*, dirigeant le pays d'une poigne de fer.

– Quinze heures, j'ai dit, je peux vous proposer quinze heures.

A treize heures on avait encore une télé.

Si on réfléchissait bien il était déjà arrivé que des gens de basse extraction, au passé mouvementé, accèdent aux plus hautes fonctions, quoique à la réflexion il n'y en avait quand même pas bésef.

– Si, Hitler par exemple.

Hitler, comme Henri, avait un parcours atypique. Mais Hitler n'était pas forcément le super-bon exemple.

Chez Henri l'humeur était morose, malgré mes bonnes nouvelles, l'intérêt que nous manifestaient les Forces du Progrès allait évidemment nous permettre de faire monter les enchères, tout le monde avait la gueule de bois suite aux agapes de la veille, seul Bordeaux s'était levé pour aller faire son vélo, activité, d'après mon pote, responsable de la petite mauvaise odeur persistant dans l'entrée du studio, Bordeaux tu pues, avait dénoncé Henri en se levant, j'en peux plus, faut que t'arrêtes de faire du sport ou alors prends une douche. Là-dessus Philippe-Lion avait renchéri, c'est vrai Bordeaux que tu pues, l'autre s'était vexé et du coup j'arrivais juste avant l'empoignade.

– Dépêchons, j'étais intervenu, on a la télé dans une demi-heure, c'est pas le moment d'avoir des dissensions.

Mais le candidat avait haussé les épaules, je suis crevé petit pote, je suis vraiment naze, et j'avais dû insister sur l'importance du suivi médiatique, on n'allait pas flancher maintenant si près du but.

– T'as raison, avait reconnu Henri, excuse-moi,

mais tu sais c'est une pression tellement forte que c'est dur de ne pas craquer.

Comme la douche était cassée, Bordeaux s'était lavé dans la cuisine et avait foutu de l'eau partout pendant que Philippe lisait *L'Art de la guerre,* complaisamment offert par Jean-Edern. Quand l'équipe de la Une s'était pointée tout le monde paraissait au mieux de sa forme.

On pouvait dire ce qu'on voulait d'Henri mais il fallait bien lui reconnaître une chose, il crevait l'écran, mon blaze c'est Henri, Henri Leconte, comme un gimmick savamment décliné, précédant une visite guidée du studio assortie des mises en demeure de l'huissier de l'O.P.A.C., voilà nous sommes actuellement à trois dans cette pièce, ils avaient dû faire semblant de se déshabiller, tirer les matelas et sortir les duvets, Bordeaux et Lion, je m'appelle Lion, rooa, comme l'animal, Bordeaux en tricot de peau, avant de finir sur l'appel au sursaut de mon pote, j'appelle solennellement la nation tout entière à un sursaut, j'appelle solennellement la nation à une prise de conscience en profondeur.

Les journalistes étaient repartis ravis et nous étions arrivés à notre rendez-vous de quinze heures gonflés à bloc.

Pillez les régions fertiles pour approvisionner l'armée abondamment. C'est la sentence qu'avait trouvée Lion dans *L'Art de la guerre,* et pendant tout le trajet en métro nous eûmes tout le temps de disséquer longuement la portée profonde de ce conseil, *Pillez les régions fertiles pour approvisionner l'armée abondamment,* merde, c'est vrai que c'est fort, Henri avait mis son costume bleu, celui assorti avec la cravate rouge et les pompes en daim brossé et en déboulant au premier étage du Flore je pense que notre interlocuteur n'a eu aucun problème d'identification, il s'est levé à notre approche et a tendu une main empressée vers notre chef de groupe, notre meneur, vous êtes Les Chiens Galeux ? Cette fois Henri a pris direct un cognac, Bordeaux aussi, Lion une bière et moi, comme d'habitude, un Perrier.

Bien, en clair, et de manière à ne pas perdre de temps, je suppose que vous êtes archi-sollicités, Henri l'a confirmé d'un battement de paupières, nous avons beaucoup apprécié vos prises de position ces derniers jours et, comme il me l'avait déjà dit au téléphone, ils étaient quand même nos alliés naturels, non, nous sommes historiquement dans le même camp, à côté de nous des producteurs discutaient des possibilités de déclinaison d'une série télé et au fond un écrivain-vedette commandait un thé.

– Nous aimerions beaucoup vous donner les moyens de continuer votre action, votre démarche. Je pense qu'au jour d'aujourd'hui il est salutaire que des gens de votre trempe interviennent dans le débat politique.

Mon pote s'est massé le front, comme un boxeur un peu sonné à l'instant de signer son contrat, et j'ai cru qu'il allait se coucher et accepter sans broncher les conditions proposées, mais au lieu de ça il a dit, en secouant la tête, putain, je suis en vrac ce matin, et juste après, historiquement et naturellement je sais pas, mais en tout cas pour rouler en R 25 et faire les beaux avec notre pognon pendant quatorze ans vous vous êtes pas trop gênés, ce qui a provoqué en face un long hochement de tête approbateur, bien sûr, je suis on ne peut plus d'accord avec vous, il y a vraiment eu des abus odieux.

Il nous proposait cinquante mille pour démarrer, un bureau, avec secrétariat, dans des locaux appartenant aux Forces, bien sûr, et un soutien logistique.

Henri l'a regardé, silencieux et aussi immobile qu'une statue égyptienne.

– Je t'amène les exclus, il a fini par lâcher, je te les amène sur un plateau !

On est repartis avec la promesse de cent mille. Le gars devait en référer à qui de droit, mais normalement pas de problème, il nous avait trouvés superintéressants et allait plaider notre cause chaleureusement.

Le rendez-vous suivant était tout aussi cool, sympa et plein d'un élan sincère envers notre petite formation, lui aussi n'avait rien perdu de nos prestations télévisées, et puis Jean-Edern lui avait évidemment beaucoup, beaucoup, parlé de nous.

Ce coup-là j'ai trouvé Henri un peu moins convaincant, la fatigue peut-être, ou le fait de se répéter, n'empêche que quand il avait pris l'autre entre quatre yeux, avec sa phrase fétiche, on en a tous eu presque le frisson.

– Je t'amène les exclus, il avait assené, et je te les amène sur un plateau.

Par contre cent mille, le gars toussait un peu, cent mille... mais Henri l'a riflé direct en disant attention cent mille c'est juste pour lancer la machine, après on aura des frais de fonctionnement.

– C'est normal, a commenté ensuite assez justement Bordeaux, c'est un parti de riches, et les riches c'est des pinces, s'ils étaient dispendieux c'est évident qu'ils ne seraient pas pleins de pèze.

En tout état de cause on devait rappeler notre contact sur son portable dès le lendemain matin, lui aussi devait en aviser qui de droit, et a priori il sentait l'affaire peut-être possible.

Pas sûre, mais peut-être possible.

En attendant j'ai dû composer une nouvelle fois avec les soucis d'ordre bassement matériel, avancer les clopes de tout le monde et encore des bières. Cette campagne allait me coûter une fortune.

– Qu'est-ce qu'on fait maintenant, avait demandé Lion, on rentre ?

Mais non, nous avions encore du pain sur la planche, au début, lorsque l'idée avait germé de comploter pour s'emparer de la présidence j'en avais donc touché deux mots à quelques journalistes et une des premières pistes qui avait surgi était un parti ayant depuis peu le vent en poupe, son leader s'étant associé avec une personnalité milliardaire fort célèbre. Le parti en question organisait une représentation théâtrale, une soirée de soutien, et nous y étions conviés.

La pièce servant de support au lancement du Grand Mouvement pour un Essor Différent était une pièce antique, aux répercussions terribles et, j'imaginais, chargée de sous-entendus faisant mouche, une sorte d'allégorie de notre société, après tout l'essentiel n'était-il pas contenu dans les classiques ? L'entrée du théâtre du Ranelagh était déserte, pas un chat. Une rumeur s'échappait de la salle, nous étions en retard.

– Je suis crevé petit pote, s'est plaint Henri en avisant le buffet dressé pour le cocktail, il est vrai d'apparence un peu maigrelet, c'est nécessaire de se farcir cette connerie ?

– On vient de la part de Jacques Bruno, j'ai annoncé à l'hôtesse qui venait de surgir. Je crois que votre responsable de la communication est prévenu.

Quelqu'un nous a introduits dans la pénombre, en nous recommandant d'être un maximum silencieux, j'avais une idée super pour Sam Païput, il allait déjouer un complot terrible contre une personnalité importante de la Nouvelle Eglise Charismatique, complot évidemment fomenté par l'Ombre, épisode dans lequel j'allais pouvoir donner libre cours à ma fertile imagination, notamment dans la scène de la poursuite automobile sur le front de mer, à Nice. Et si cette campagne se déroulait de manière fructueuse, ce que j'allais finir par croire, pourquoi ne pas s'organiser un petit repérage sur place, afin de voir de visu les endroits exacts, le cadre, dans lesquels évolueraient mes héros.

Sur la scène, des comédiens accoutrés de costumes étranges échangeaient des tirades profondes. A côté, ma voisine semblait ne pas en perdre une miette, accompagnant chaque réplique de la récitation de son enfant, comme un parent d'élève le jour de la fête de l'école, buvant la parole bénie sur les lèvres de son fifi. Craignos, a dit tout fort Bordeaux, craignos, provoquant à ma droite une fusillade oculaire. Chut, je l'ai calmé, chut, tu vois bien que tu déranges.

Je pouvais peut-être même me faire un ou deux palaces à l'œil, en expliquant qu'ils seraient cités dans le livre. *Sam Païput au Carlton. Les deux visages de l'Ombre sur les toits du Négresco.* Quoiqu'il n'était pas sûr que mes personnages et moi-même ayons acquis une notoriété suffisante pour amadouer les responsables. A voir.

– Oui, disait encore ma voisine-silhouette, vas-y, donne-toi complètement.

– J'ai les crocs, petit pote, quand c'est que tu crois qu'on va becqueter ?

– *Le matin de bonne heure, on se sent plein de zèle,* a glissé Lion, *au cours de la journée le zèle se ralentit et, le soir, les pensées se tournent vers le pays.*

Et une nouvelle fois, bizarrement insensible au charme de Sun Tzu, l'autre a crisé comme quoi on devait se taire.

La pièce a fini par s'achever, les comédiens sont venus saluer, l'ouvreuse du début a passé une tête pour proposer à Silhouette de venir aussi, il s'agissait en fait de la metteuse en scène, mais celle-ci a refusé en balayant l'espace d'un grand mouvement énervé, non, s'il te plaît, ne me demande pas ça, et, pressentant vraisemblablement une ovation insoutenable de la part du public, elle a eu un geste un peu puéril, elle s'est caché la tête entre les mains et s'est agenouillée derrière le fauteuil, tu trouves pas qu'ils font tous un peu charlots s'est inquiété Henri, je les sens pas du tout gagnants pour l'Elysée.

La petite foule s'est répandue dans le foyer, se pressant autour de la table, et sans la détermination de mes camarades, je dois reconnaître que nous aurions eu du mal à faire valoir nos droits. Des rapaces avaient observé Henri, des rapaces avides et malpolis. Sinon niveau politique c'était plutôt confus, la majorité de l'assemblée se composait principalement de jeunes comédiens, amis de jeunes, de comédiens, et familles de jeunes comédiens. D'après mes sources, il s'agissait ce soir de lancer la machine, de galvaniser les troupes, avant de partir au galop vers les sommets, le dirigeant avait fait les jours précédents des déclarations fracassantes, appuyé par l'homme d'affaires-vedette qu'une récente inculpation avait malheureusement privé d'une candidature attendue, mais malgré tout il flottait dans l'air comme un parfum de démotivation.

Henri a raflé direct deux bouteilles de champagne et Lion du J&B et on est allés observer tout ça d'un peu plus loin. Personne n'avait l'air de vouloir nous prêter un semblant d'attention. Renseignements pris, Jean-François, le leader, n'était plus très sûr de vouloir continuer, sans l'homme d'affaires-vedette, dépasser les cinq pour cent apparaissait extrêmement aléatoire et rester sous cette barre fatidique induisait un non-remboursement des frais de campagne.

– Une chose est claire, a énoncé Henri, faisant allusion à l'homme d'affaires-vedette, si l'autre est déjà passé tu peux être sûr qu'il ne doit pas rester grand-chose en caisse. Pour gratter de l'oseille on est des enfants à côté de lui.

En tout état de cause on a encore tourné un peu, les plats de petits-fours ressemblaient à un paysage saharien après le passage des sauterelles, et puis on s'est préparés à battre en retraite, nos exclus sous le bras, qui apparemment n'intéressaient personne, quand je pense que je leur amenais une affaire en or, s'est énervé Henri, en or, c'est vraiment à pleurer, quand, à l'instant où notre compagnie se mettait en branle, direction le dernier métro, une fille a foncé sur nous s'il vous plaît, s'il vous plaît, excusez-moi mais ne seriez-vous pas la personne que l'on a vue récemment à la télévision, Henri Leconte ?

– Si, l'a toisé mon pote, ça se peut.

Le visage de la fille s'est illuminé.

– Les Chiens Galeux, a murmuré la fille, visiblement ravie, vous êtes Les Chiens Galeux.

– On bouge, a fait Lion, c'était minable leur buffet, j'ai trop les crocs.

Mais Henri l'a interrompu d'un geste, oui, que puis-je pour vous, l'air pro et attentif malgré la fatigue.

– Voilà, a dit la fille, je m'appelle Caroline, et je fais du théâtre.

– On y va, est revenu à la charge Bordeaux, il est presque une heure, faut qu'on mange quelque chose de consistant.

– Quel genre de théâtre, a demandé Henri, du théâtre genre ce soir ?

La fille était quelconque, pas franchement laide, mais pas le canon non plus. Petite, avec des cheveux frisés, et des gros seins.

– Pas du tout. Pas du tout, du tout. Je fais quelque chose de beaucoup plus simple, beaucoup plus près des gens.

En deux mots elle était tombée par hasard sur Henri aux actualités, mon blaze, c'est Henri, Henri Leconte, et elle avait aussitôt flashé, à la fois sur l'homme, bien sûr, et aussi sur la cause, le mouvement, c'est tellement bien ce que vous faites, tellement nécessaire par rapport à ce qui se passe aujourd'hui, et elle faisant du théâtre, mais attention, du théâtre vraiment particulier, rien à voir, elle nous l'assurait avec force, avec le truc de ce soir, elle avait pensé nous proposer ses services. Conseillère spéciale en potentiel expressif.

Il y eut un moment de silence. Bordeaux s'est roulé une cigarette, assis sur le petit muret, avec la

Maison de la Radio derrière, et le dernier métro qui allait nous échapper.

– Je suis en voiture, a proposé Caroline, vous voulez que je vous ramène ?

– Qu'est-ce que t'en penses, m'a demandé Henri, tu le sens comment ?

A vrai dire, et toujours dans un souci d'être franc, je le sentais plutôt pas mal. La fille avait l'air pleine d'enthousiasme, et avoir parmi nous du sang neuf, qui plus est véhiculé, ne pouvait avoir que des avantages. D'autant qu'elle avait peut-être également un petit pécule susceptible d'être investi dans les frais de campagne.

– T'as quoi comme tire, t'es garée loin ?

En route on s'est arrêtés chez un Arabe, par miracle encore ouvert, et, arrivés chez Henri, Caroline a fait des œufs brouillés et Bordeaux une salade de fruits. J'avais hâte que tout cela cesse et que je puisse me remettre à Sam Païput. L'écriture me manquait et j'en avais marre de me coucher tard. Restait maintenant à savoir si oui ou non nous allions réussir à rentabiliser toute cette opération.

Le lendemain il était convenu que je reste assurer la permanence au Q.G., c'est-à-dire chez moi, avec un petit déjeuner au calme, un disque de musique douce et le ronronnement de ma machine, et j'étais à savourer ma paix enfin retrouvée, mes amis des Chiens Galeux commençant de leur côté leur premier training d'expression avec Caro, training dont j'étais dispensé, n'étant pas à franchement parler vraiment un exclu, quand, comme une astuce facile de théâtre annonçant une nouvelle péripétie, le téléphone avait sonné.

– Allô, avais-je dit, allô, allô, suivi de l'habituel : permanence des Chiens Galeux, j'écoute !

C'était notre bon ami des Forces du Progrès, la veille nous en avions retouché deux mots avec Henri, et cent mille, ma foi, nous semblait assez dérisoire au regard de notre apport, les exclus et la misère, foule nombreuse se pressant aux urnes et votant, grâce à nous, dans le bon sens. Le sens du Progrès, ha, ha.

– Alors, j'avais lancé, d'un ton enjoué, quelles nouvelles ?

Il allait de soi dans mon esprit que notre proposition était acceptée, la balle étant plutôt dans notre camp, et je n'étais d'ailleurs pas très sûr que Les Chiens Galeux soient partants pour s'engager aux côtés des Forces du Progrès, en tout cas pas à ce prix-là.

– Voilà, avait prononcé le téléphone, nous nous trouvons dans une situation délicate.

Et très rapidement il m'avait exposé pourquoi s'associer, soutenir, ou permettre ne serait-ce qu'un soutien logistique aux Chiens Galeux était difficilement concevable.

Problème avec le D.A.L., Touche pas à mon pote, et différents mouvements, associations, historiquement engagés auprès des Forces depuis plus longtemps et qui comprendraient mal l'arrivée d'une nouvelle formation, aussi sympathique soit-elle.

Henri Leconte avait fait de la prison. Son casier judiciaire portait trace de plusieurs condamnations. Escroquerie. Trafic de stupéfiants. Celui de Bordeaux n'était pas vierge non plus, trois attentats à la pudeur et deux grivèleries.

Et en plus ils avaient un problème d'argent.

– Vous n'ignorez pas les poursuites déplorables

dont nous avons fait récemment l'objet. Soutenir d'une manière concrète et financière votre entreprise n'est de toute façon actuellement pas envisageable.

J'avais foncé chez Henri au grand galop, mauvaise nouvelle les gars, je le sentais de plus en plus mal pour le remboursement des frais de mission.

– Actuellement pas envisageable, avait longuement répété Henri, actuellement pas envisageable...

La matinée s'était agrémentée de chant et d'activité théâtrale, Caro avait passé la nuit chez Henri, avec Henri d'ailleurs, d'après ce que j'avais compris, provoquant chez les deux autres un dépit difficilement dissimulé, ils avaient dû dormir dans le couloir du studio, à part ça le théâtre s'était déroulé au poil, en peu de temps une petite création était née, qu'ils avaient hâte de me soumettre.

– Surtout toi, vu que t'écris, c'est vraiment important de savoir ce que tu en penses.

Certes, avais-je opiné vigoureusement, c'est vrai que c'est important.

– Actuellement pas envisageable, avait encore répété Henri, visiblement plus que songeur, je crois qu'il y en a qui n'ont pas très bien compris la situation. Faudrait peut-être qu'on leur explique de manière plus précise.

En attendant la représentation s'était mise en place, tu comprends m'expliquait Caro, j'ai voulu trouver quelque chose qui soit en même temps attrayant et proche de leur vérité.

Mes trois compères ont disparu dans la cuisine, Caro a branché un petit magnéto, la porte s'est rouverte, c'est Micheto le clown. Micheto le clown et ses copains. Mon pote, un tambourin à la main, le nez gribouillé de rouge, suivi d'une petite farandole,

Bordeaux et Lion ont déboulé dans la pièce. C'est Micheto, Micheto le clown, Micheto le clown et ses copains. Bordeaux avait un body de danse couleur crème et un collant qui lui moulait les roubignoles, avec sa moustache dessinée au noir de fumée et ses chaussures trop grandes, l'effet était franchement saisissant. Quant à Lion, costume noir et chemise blanche, entre Chaplin et Joséphine Baker, il forçait pour le moins l'admiration.

Le roulement sur le tambourin s'est accentué, la voix d'Henri a dominé le tumulte, Bordeaux s'est contorsionné, et ils ont commencé à chanter.

C'est la vie moderne
Quand tout devient terne (bis)
C'est la vie moderne
Quand tout devient blême.

Bordeaux avait une jolie tonalité de baryton et Henri des nuances plus aiguës. Le chœur des trois fonctionnait quasiment à l'unisson. Sans beaucoup de répétitions, c'était plus que pas mal.

C'est Micheto le clown
Micheto le clown
Micheto le clown et ses copains.

Il y a eu une demi-seconde de pause et la voix d'Henri s'est envolée vers le ciel.

Savoir regarder l'autre
Savoir donner
Et recevoir.

Il bougeait la tête en faisant des petits clins d'œil. *Savoir donner, Et recevoir,* en agitant un gobelet. *Et recevoir,* Lion a conclu derrière en mimant des claquettes.

– Bravo, j'ai applaudi vigoureusement, bravo, bravo !

C'était excellent, réellement excellent, honnêtement j'étais loin de m'attendre à ça.

– Et niveau pognon je te dis pas le carton qu'on va faire, pour la tape c'est l'idéal. Les gens sont sensibles au fait que tu sois créatif, que tu te renouvelles.

Certes, avions-nous tous approuvé, certes, et puis la rue n'était-elle pas un théâtre permanent ? Cela dit on avait beau être gonflés à bloc, le lâche désistement des Forces du Progrès nous prenait quand même de court.

– Et ce truc de casier, quand t'y penses, c'est fou.

Et pire du pire c'est que l'autre connexion, le représentant du Grand Sec, l'adversaire de Loukoum, joint également au téléphone, nous avait opposé une fin de non-recevoir.

A ne pas le croire.

– Ils se coupent de la base, avait tristement analysé Henri. Ils se coupent de la base et ils s'enferment dans leur tour d'ivoire.

A ce stade de l'aventure j'aurais personnellement mis un frein sérieux et peut-être même lâché l'affaire complètement ; seulement c'était compter sans notre nouvelle recrue, Caroline, pleine d'une énergie débordante et fourmillant d'idées. Je crois qu'il vaut mieux abandonner, avait dit Henri, c'est plus raisonnable et aussitôt elle avait bondi, quoi, mais tu n'y penses pas, pas maintenant, pas après tout ce chemin, tu n'as pas le droit Henri, pas le droit, et elle lui avait pris la tête tant et si bien qu'à la fin il avait dit oui, t'as raison, il faut se battre, on ne peut pas laisser tous ces enculés sans rien faire, sans réagir.

Ce qu'il fallait c'était crédibiliser le mouvement, s'appuyer sur les nôtres, qu'on sente de manière évidente que oui, Henri Leconte, chef reconnu des Chiens Galeux, représentait la Plèbe, les Gueux et la Misère.

– Nous allons organiser un meeting. Une grande réunion fédératrice de tous les exclus.

Et nous ferons venir les journalistes.

La télé.

Dans une salle de la Mutualité pleine à craquer.

Micheto le clown en direct dans chaque maison, chaque foyer.

Criant sa vérité.

La hurlant.

Et faisant vaciller de sa voix stridente la base même des colonnes du système.

– Je te dis pas comment ils vont flipper !

Bon, au final, et après deux journées épuisantes, une réunion s'était organisée, non pas à la Mutu, comme nous l'avions prévu, mais sur un chantier, sous les piliers de l'ancienne voie de chemin de fer, non loin de Bastille, là où devait être la future Coulée verte, à deux pas de l'ancien emplacement du camion de *Réverbère*, déménagé entre-temps à Nation. Nous avions battu le rappel auprès des revendeurs, plus quelques poivrots ramassés à droite et à gauche, l'important étant de faire nombre devant l'objectif des Bétacam, convoquées par mes soins à dix-sept heures précises, d'après Caro qui s'était renseignée, c'était l'heure limite pour avoir des chances de passer au 20 heures.

On avait installé une petite estrade de fortune avec des madriers et des poutres récupérés sur place. Pour la sono, Lion-Philippe avait emprunté le ghetto blaster-karaoké de sa petite sœur, et à seize heures trente, un groupe tout droit sorti d'un roman de Jack London au pire moment de la récession se pressait sur le site, avec les voitures derrière sur le boulevard klaxonnant dans les embouteillages et la grue à deux pas, c'était le décor idéal.

J'ai tourné la tête, Caro a dit « Les voilà ! », Bordeaux distribuait des bières achetées encore une fois sur la cagnotte commune, les caméras ont jailli des voitures, Caro a encore dit « Dépêchez-vous, vous allez tout rater » et, dans un sifflement de larsen, Henri Leconte, candidat à la présidence de la République, a déclaré ouvert son meeting-conférence de presse.

– Merci d'être venus, il a démarré sobrement, nous sommes ici pour évoquer un certain nombre de problèmes...

Et la foule, confiante, a acquiescé.

– Je voudrais tout d'abord commencer par un problème qui nous concerne tous, je voudrais parler du problème des Roumains.

Et la foule a mugi son approbation.

– C'est vrai ce qu'il dit, a fait un vieux sur ma gauche, quand tu penses qu'on se tape le R.E.R. jusqu'à perpète en banlieue, des heures de transport pour arriver sur le coin et il y en a à chaque coin de rue, en plus tous en situation irrégulière, comment tu veux travailler, c'est pire que des bougnoules.

Il y a eu une bousculade devant, entre deux que je connaissais de *Faim de siècle,* et l'aide-cameraman. Caro a dû s'interposer.

– Je voudrais savoir quelles positions les pouvoirs publics comptent adopter !

Et la foule a encore renchéri, tu parles, dans le métro faut les voir. Tout ce qu'ils savent jouer sur leurs accordéons c'est pa-dam-pa-dam-pa-dam, c'est sûr qu'on devrait les interdire.

Si on additionnait de manière objective, ce que j'avais fait, il y avait exactement vingt-six personnes, Chiens Galeux compris. Vingt-six maigres personnes composant la totalité des sympathisants de notre grand mouvement populaire, pour la plupart appâtés par la distribution de mousse ou venant par solidarité, soit qu'ils connussent Henri depuis longtemps, soit qu'ils n'eussent vraisemblablement rien de mieux à faire.

Pourtant, pourtant, lorsque vers vingt heures vingt-trois l'image du présentateur s'est effacée pour laisser la place à nous, un des sujets forts de ce journal, on aurait dit qu'une manifestation d'une ampleur sans précédent avait pris possession du douzième arrondissement.

– Je voudrais parler du problème des Roumains, hurlait Henri en gros plan, **je voudrais parler de nos conditions de vie, de nos conditions de travail, de nos logements.**

Il y avait exactement la même situation dans un roman de Tom Wolfe. Un prédicateur noir fomentait une rébellion dans Harlem, en s'emparant d'un accident où était impliqué un riche bourgeois, et au départ, pour lancer l'affaire, il convoquait les médias, haranguant ses troupes pour qu'il passe et repasse devant la caméra.

« *Et nous transformâmes ce petit bataillon en une armée puissante et volontaire.* »

– Notre vie professionnelle : la mendicité !

A la fin, à partir de rien, le révérend arrivait à mobiliser les foules, à provoquer un véritable courant d'opinion. Dans le « Que sais-je ? » sur la psychologie politique, il était d'ailleurs précisé : « *Les mass media ont une valeur référentielle en ce sens qu'ils créent le monde plus qu'ils ne le montrent ; ils accordent par exemple autant d'importance à un fait divers qu'à une guerre, plus de place au sport et au spectacle qu'à l'économie et aux sciences.* »

– Nos logements : des cartons et des sacs-poubelles sous les ponts de Paris !

En gros plan le visage d'Henri passait magnifiquement. Ses traits paraissaient plus émaciés, tout en ayant ce côté un peu brut, sauvage, buriné et doux à la fois qui faisait son charme.

– Nos conditions de vie : une honte !

Inutile de préciser que nous avions fait un tabac.

Carton complet sur toute la ligne.

Du bar où nous nous trouvions, à côté de chez Caro, j'avais appelé mon répondeur et, en entendant la bande se rembobiner, j'avais pensé mince, il a dû y avoir un problème, tellement la cassette mettait du temps à revenir au début, mais en fait non, c'était juste le nombre effarant de messages, des messages et des messages, tu peux me passer un stylo j'avais juste eu le temps de crier à Lion, vite s'il te plaît.

Il y avait Jean-Edern.

Et le mec des Forces du Progrès.

Une invitation pour *La Marche du siècle.*

Paris Première.

Libé, le portrait au dos, c'était urgent, merci de rappeler même tard.

De nouveau Jean-Edern, par l'intermédiaire d'Omar, son fidèle lieutenant, il faut qu'on se parle le plus rapidement possible, merci de rappeler Jean-Edern.

Un journaliste que je connaissais qui proposait de faire un portrait pour le vendre à Arte, dans le cadre d'une thématique sur l'exclusion.

Un photographe.

Une agence de photographes.

Encore une autre agence de photographes.

Un journaliste dont je n'avais pu comprendre le titre et les fonctions.

Ma mère qui voulait savoir si c'était bien le même Henri qu'elle avait déjà rencontré une fois avec moi en train de faire la manche dans le métro.

Mon frère qui avait « halluciné carrément ».

Mon éditeur, à qui j'avais vaguement touché deux mots de l'affaire et qui me proposait d'en narrer les détails dans une grande fresque moderne, tu peux me rappeler chez moi ce soir, je te donne le numéro.

Mon Dieu, quatre volumes des aventures de Sam Païput n'avaient jamais déclenché une telle sollicitude.

Encore Omar.

Un copain commun à Henri et à moi qui demandait si maintenant que ça gazait pour lui Henri pouvait lui rendre les cent sacs qu'il lui devait.

Encore des journalistes.

Le journal de la Deux.

France 3, le national.

Marie Claire.

Une fille de *Faim de siècle* qui me demandait d'écrire un édito. Tu sais tu pourrais le faire avec ton copain, celui que je viens de voir à la télé, ça pourrait être sympa.

Et pour finir le représentant du Grand Sec qui s'excusait pour ce matin et qui souhaitait qu'on se revoie, pour parler de tout ça à tête reposée.

– Chaud bouillant, j'avais dit à mon pote après avoir raccroché, la machine est en train de s'emballer.

Et effectivement c'est grosso modo ce qui s'était passé. Ce qui au départ n'était qu'une joyeuse plaisanterie se transformait à toute allure en une aventure formidable, donnant raison à mon éditeur, j'étais aux premières loges d'une épopée moderne et grandiose, la revanche de l'humble et de l'obscur sur le Grand Capital, sur un système qui n'avait jamais eu de cesse de piétiner l'innocent, aux premières loges de la naissance d'un chef, d'un meneur, capable de guider le monde vers un horizon plus rose, plus juste, où la faim, la guerre et les Roumains auraient enfin disparu. D'ailleurs Henri en était tout à fait conscient. Le lendemain il passait au journal de 20 heures, en invité principal, et en sortant, livide, comme vidé par cet effort où d'un seul coup il n'était plus tout à fait lui-même, possédé par une force qui lui échappait, il m'avait confié tu sais petit pote, ça me fait vraiment flipper. Quand tu penses au pouvoir qu'on peut avoir d'un seul coup, quand tu penses à Hitler par exemple, je te demande vraiment de me dire si à un moment je dérape, et j'avais dû le rassurer, mais non, je te jure, tout va bien, ce que tu fais va dans le bon sens.

On avait touché cinq mille de France 2.

Les Forces du Progrès nous mettaient un local à disposition, avec un budget de fonctionnement, un budget de soixante mille pour démarrer.

Paris Match voulait des photos dont, malins, nous nous étions réservé l'exclusivité, et que j'avais négociées huit mille.

Une autre émission qui, comme le journal, d'habitude ne payait jamais les invités, avait accepté de lâcher dix mille.

– C'est pour notre assos, précisait chaque fois Henri, si tu savais le nombre de copains qui sont sur le carreau en ce moment.

Et évidemment c'était délicat pour les gens de faire les difficiles et les pingres.

Je t'amène les exclus, ah, ah, je te les amène sur un plateau.

Quant à l'émissaire du Grand Sec, il y avait eu un échange de coups de fil avec Jean-Edern, Jean-Edern expliquant au plus haut niveau que ce n'était pas la peine qu'il se casse le cul à essayer de générer un courant positif si on lui sabotait tout le travail derrière, et que représentaient quelques misérables dizaines de milliers de francs au regard de l'enjeu, au regard de la présidence ?

– Désormais tu traites avec lui, avait déclaré l'artiste en nous présentant un autre interlocuteur, et s'il y a le moindre problème tu m'appelles immédiatement, tu as le numéro du portable.

Magnanime Henri avait décidé d'accepter, dans un premier temps, une contribution financière de soutien.

– Mais qui n'engage à rien, il avait tenu à préciser,

pour l'instant, j'ai déjà besoin de me sentir à nouveau en confiance.

Réaction après tout compréhensible, n'avait-il pas été profondément blessé de la fin de non-recevoir du premier représentant.

On était ressortis du rendez-vous avec cinquante mille en liquide dans une enveloppe demi-format en kraft.

Je dois reconnaître que pour ma part j'en étais franchement sur le cul.

A la fin de la semaine il y avait eu la quatrième de couverture de *Libé*, puis *La Marche du siècle* où notre candidat avait apostrophé la nation tout entière sur le fait que c'était quand même dingue que, parce qu'il avait un casier oblitéré de quelques condamnations minables, il ne puisse pas briguer les plus hautes fonctions. Si je n'avais pas de condamnations je ne serais pas un exclu, et donc c'est bien le fait que je sois un exclu qui fait qu'on m'exclut, et pour finir un passage à *Nulle part ailleurs* où, clou de ces petites festivités, Henri, Bordeaux et Lion avaient décliné leur petit spectacle.

C'est la vie moderne,
Quand tout devient terne
C'est la vie moderne,
Quand tout devient blême.

Et de voir tout ça de près, une chose apparaissait de manière on ne peut plus claire. Le monde était tombé sur la tête, complètement maboul, on avait tous perdu le nord, la politique et les journalistes, les articles, l'hystérie pour un rien, oui, non, vas-y, encore, la télé, la télé, combien d'audience et vous êtes formidables, il est bien ton pote, il passe super, un univers de dingues, les embouteillages et les voitures, comme des marionnettes vides s'agitant dans un effort grotesque et vain, pérorant des discours inutiles et des conversations creuses. J'avais parfois comme une montée d'angoisse qui me prenait, d'accompagner l'autre à ses rendez-vous, en train de péter les plombs complet sous le feu des projecteurs, c'était la fin du monde, la fin du monde, les derniers jours de Pompéi, le volcan va exploser, on va tous se retrouver ensevelis au-dessous, et personne n'a l'air de s'en rendre compte, droit dans le mur à deux cents à l'heure, l'émissaire nous rallongeait une liasse, et on touchait aussi de l'autre côté, *La vie moderne, c'est la vie moderne,* face à l'Ombre, Sam Païput était maintenant totalement désemparé, j'avais la sensation nette et précise que la Terre entière courait à la catastrophe et que malgré tout, personne n'y pouvait rien.

– Il n'est pas beau Micheto, clamait mon pote, il n'est pas micheto, Micheto le clown.

Six jours avant l'élection, un sondage nous créditait de huit pour cent des voix, les journalistes parlaient de phénomène Coluche. Henri, lors d'un nouveau débat télévisé avec des ténors des différents partis, avait proposé un référendum sur le fait que l'on puisse se présenter avec un casier et un trublion de l'opposition avait renchéri en disant qu'un amendement à la Constitution était après tout envisageable.

Le soir du premier tour, si on faisait les comptes, l'opération était, à ma très grande surprise, une réussite sur toute la ligne. Gain total cent soixante-dix-sept mille balles, plus les retombées indirectes qui allaient continuer à arriver, à dix-huit heures nous avions pris le chemin du Q.G. principal, celui du Grand Sec, avenue d'Iéna, qui pour la circonstance était fermée aux deux bouts, avec des tentes et des estrades et des barrières à n'en plus finir.

– A quel nom ? avait demandé l'hôtesse, en regardant sa liste.

– Leconte, avait dit mon pote, Henri Leconte.

De l'avis de nombreux spécialistes, la partie devait, au second tour, se jouer dans un mouchoir de poche.

– Vous êtes le tennisman ? avait blagué l'hôtesse.

Chaque voix allait compter.

– Désolée, mais je ne vois rien à ce nom.

Et celle des exclus, pour une fois, allait compter double.

Henri avait hoché la tête longuement, ah ouais, d'accord, ses yeux se voilant d'une teinte amère, je comprends, très bien, et j'allais intervenir et expliquer la situation, nous sommes Les Chiens Galeux, quand une autre hôtesse, qui devait suivre de manière plus pointue l'actualité politique, s'est penchée vers l'autre et lui a murmuré un truc à l'oreille.

– Bien, a fait l'hôtesse, si vous voulez patienter quelques instants, je contacte un responsable.

– Tout de même, a fait Caro derrière, avec tout ce qu'on fait en ce moment pour les aider à réduire la fracture sociale, ils pourraient être un peu plus prévenants.

– Comment ça va ? s'était précipité un des types qu'on avait vus avec Jean-Edern, celui aux cinquante mille balles, comment ça va ?

Et que je meure à l'instant si ce n'était pas vrai mais il avait fait la bise à Henri.

Il l'avait embrassé.

– J'étais pas sûr qu'on soit les bienvenus, a tenu à faire remarquer Henri, si ça pose un problème qu'on reste, c'est pas grave, on peut bouger.

Et l'autre pédale s'est confondu en dénégations, mais tu es fou, mais bien sûr que non, j'ai parlé de toi là-haut et ils tiennent vraiment à te rencontrer, il est supercontent que tu sois avec nous.

La première tente était réservée à la presse, avec des téléphones partout, un buffet et de la picole à gogo, bouffe et sandwiches façon traiteur, la majorité des envoyés spéciaux et baroudeurs en tout genre était déjà pendue au téléphone, un verre à la main, Bordeaux et Lion en ont profité pour appeler chez eux, Philippe sa grand-mère aux Antilles, et Bordeaux sa mère à Bordeaux.

D'immenses téléviseurs disposés çà et là diffusaient des images de l'événement. Aux quatre coins de la France des spécialistes disséquaient le moindre détail, la moindre tendance de ce premier tour de l'élection présidentielle. A deux pas de nous le journaliste de la Une régulièrement prenait l'antenne pour informer le public avide de nouvelles que, non, ici au Q.G. d'Iéna il ne se passait pas encore grand-chose. La grande tente était pratiquement vide et comme nous n'avions rien à faire on a continué à errer, nos pas résonnant sur le plancher en pente et malgré tout c'était quand même assez émouvant de savoir que, pour une fois, nous étions, nous habituellement anonymes, au cœur d'un truc important.

– Alors, j'ai dit à Henri, micheto ou pas micheto ?

Mais son visage est resté grave, soucieux, le front plissé, envahi de sombres pensées.

– Qu'est-ce qu'il y a ? j'ai demandé, ça ne va pas ?

Dans un coin un type que j'avais remarqué avec un grand chapeau et un costume noir était assis sur une chaise.

– Moyen, je me pose quand même pas mal de questions.

Bordeaux et Philippe se répandaient en suppositions concernant l'inconnu. D'après Bordeaux c'était le frère de Mitterrand, mais si, tu sais bien, il fait campagne pour l'adversaire, tandis que pour Lion-Philippe il s'agissait plus vraisemblablement d'un ponte, une sorte d'éminence grise, je crois que c'est le mec des services secrets, je l'ai vu une fois, il passait à la radio.

– C'est quand même moi qui ai l'élection dans le creux de la main. Figure-toi que c'est pas non plus forcément une situation facile.

Petit à petit, la salle s'était remplie, mince regarde qui arrive, putain c'est Michou, et Line Renaud. Renseignements pris le vieux bizarre avec le chapeau était un ancien proche de De Gaulle, une sorte de chauffeur ou de sbire, avec qui nous pûmes échanger nos différents points de vue sur ce qu'il se passait et les tenants et les aboutissants et tout ce qu'il allait s'ensuivre, la disgrâce des proches de Loukoum et comment, enfin, les gens sérieux allaient revenir aux affaires. Bordeaux s'est levé pour demander un autographe à Michou, sa mère et son père avaient passé une soirée dans son cabaret des années auparavant, et puis d'un seul coup un murmure a parcouru la petite foule, ça y est, les estimations, ce sont les premières estimations, tout le monde s'est massé, haletant, devant les téléviseurs, et les résultats provisoires ont scintillé sous nos yeux ébahis.

– Merde, a dit quelqu'un, je le crois pas.

– C'est pas vrai, ils ont dû faire une erreur.

Le candidat des Forces du Progrès arrivait en tête, battant Grand Sec et Loukoum de plusieurs longueurs.

Inutile de préciser que les cris de joie n'ont pas fusé. Surprise et morosité avenue d'Iéna, a persiflé le commentateur sur la Deux, et sur la Une les analystes se répandaient en conjectures, alors qu'il suffisait d'additionner les points de Loukoum et ceux du Grand Sec pour se rendre compte que le résultat était exactement celui prévu, un retour des ennemis des Forces du Progrès, gros comme une maison, au tour suivant.

– On bouge, a fait mon pote, j'en ai marre d'être là.

Collé contre une rombière en tailleur, Bordeaux arborait une expression bizarre.

– Qu'est-ce que tu fabriques, j'ai demandé, tu la tripotes ou quoi ?

J'ai dû insister une deuxième fois pour qu'il se déprenne, ça va, une seconde, j'arrive, l'œil vitreux, alors que partout les journalistes couraient vers les Espace et les breaks, vite, vite à l'autre Q.G., le résultat avait bouleversé leur plan.

– Je lui ai mis une main au cul, je te raconte pas comment elle avait l'air de trouver ça bon.

On a mis nous aussi le cap vers les Forces du Progrès, l'avantage a fait remarquer Philippe-Lion, c'est qu'avec notre méthode on est les bienvenus partout.

De toute façon, la Maison de la Chimie était

ouverte à qui voulait y entrer, ici c'est d'abord la maison du peuple, a souri un militant, on ne va quand même pas mettre un service d'ordre.

La foule était moins nombreuse, d'un genre différent, barbus, profs, et look Forces du Progrès, moins de foulards Hermès mais plus de velours, le monde n'est pas original a émis sentencieusement Lion-Philippe sur ma gauche, c'est le regard que l'on porte dessus qui lui donne une perspective différente. Sur une estrade le service de presse avait installé les caméras, en rang d'oignons, comme chez Darty, de manière que chacun puisse diffuser en toute quiétude des images de son présentateur. L'annonce du résultat, inespéré pour beaucoup, avait provoqué dans la salle une tension extrême perceptible à l'œil nu.

A peine installés dans un coin stratégique, plusieurs journalistes étaient venus nous parler, avides de récolter nos commentaires à chaud sur le score du candidat Progrès et l'apparente déconfiture du Grand Sec.

– Nul doute que vos voix vont peser de tout leur poids dans la balance pour le second tour.

Et Henri avait approuvé silencieusement, l'esprit visiblement ailleurs, écrasé par l'effrayante responsabilité qui était maintenant la sienne, lui l'exclu, lui le marginal, responsable aujourd'hui du sort d'une nation. Bordeaux et Philippe étaient partis rôder, et on était restés, Caro, lui et moi, à discuter de tout ça, du monde, de la situation actuelle, de la vie moderne et du fait qu'ici, contrairement à l'autre Q.G., ils ne s'étaient pas foulés pour le buffet et les boissons.

– Et le D.A.L. ? avait fini par demander un journaliste, vous vous situez comment par rapport au D.A.L. ?

Ce qui avait provoqué chez Henri une contraction du visage, assombrissant son front d'une nuée de rides, fatigué le D.A.L., tu veux vraiment que je te parle du D.A.L. ?

– T'as vu où ils sont, t'as réalisé ce que c'était le coin de la rue du Dragon avant le squat ?

Un murmure a couru que l'arrivée du candidat Progrès était imminente.

– Un petit paradis, une zone privilégiée. T'as le Flore ici, La Hune, Les Deux Magots, Lipp, le Drugstore. Que des intellectuels de gauche blindés de pognon. Le top rendement de la capitale. Meilleur que Passy-La Muette. D'autres journalistes s'étaient approchés, Dieu merci, sans micro et sans caméra.

– Inutile de vous dire que depuis que les bamboulas ont débarqué, c'est plus la peine de tenter quoi que ce soit. Les gens en ont jusque-là, c'est négros et bougnouleries en permanence. Posez la question aux commerçants vous verrez, même pour eux le chiffre d'affaires a tendance à baisser.

Dans le brouhaha sa voix un peu nasillarde prenait un relief tout particulier.

– Alors ce genre de mesure, le D.A.L. et autres, pourquoi pas, mais je dis juste attention aux effets pervers.

Dans d'autres circonstances certainement que tout le monde aurait bondi, sauté au plafond, merde mais t'es raciste ma parole, quelle horreur, il est pire que Le Pen cet affreux, alors que là les autres avaient écouté sans broncher, allant même jusqu'à opiner, après tout s'il y en avait ici qui connaissaient le terrain c'était bien lui, Henri. Henri Leconte. Quarante-deux piges d'exclusion et pas une seule victoire à Roland-Garros. Ah, ah.

Il avait encore fallu se farcir l'apparition du candidat, mon Dieu ce que ces gens avaient l'air bête, ivre de sa nouvelle victoire, premier au premier tour, mais s'efforçant de garder la tête froide, rien n'est gagné, il va falloir se battre, chaque voix va compter, provoquant chez Henri un ricanement de circonstance, chaque voix va compter cher petit pote, prix fort et royal au bar pour Micheto le clown, et comme il commençait à être un peu bourré, j'avais dû le rapatrier quasiment de force, d'autant que Bordeaux s'était pris le bec avec une soixante-huitarde sur le retour, sans soutif, je l'avais entendue glapir ça suffit maintenant, vous êtes malade ou quoi, et la grosse voix de Bordeaux par-dessus, vas-y salope, lâche-moi, de toute façon t'as les seins qui tombent, plus Philippe-Lion qui roulait joint sur joint, nous attirant des regards mi-amusés, mi-furibonds, heureusement qu'il y avait Caro avec moi parce que sinon je n'aurais pas pu faire face.

Quinze jours séparaient les deux tours et dès le lendemain de nombreux éditorialistes signalaient l'importance des courants minoritaires, la relativisation de la scission droite-gauche rendant les choses plus confuses, chaque candidat allait devoir ratisser large, très large, et ce qui paraissait un moment quasiment gagné d'avance, notamment en ce qui concernait le Grand Sec, était aujourd'hui l'objet de multiples conjectures. Le lundi, Henri, réalisant soudainement que la présidence lui échappait de manière certaine, n'avait pas décuité de la journée alors que d'après Caro l'heure était grave, c'était maintenant qu'il fallait mettre la gomme, et surtout ne pas se laisser abattre. Il fallait taper un grand coup. Un dernier grand coup. Et même si bien sûr la présidence était hors de notre portée, il restait des choses à faire, des milliers de choses à faire. Un combat de cette nature n'était pas qu'une affaire de quelques semaines, beaucoup de gens comptent sur toi Henri, tu représentes un espoir, une alternative différente, tu n'as pas le droit de laisser tomber maintenant.

Le rendez-vous suivant était avec une copine de fac de Caro, aujourd'hui journaliste à *L'Obs,* qui envisageait un dossier sur l'exclusion, bien sûr construit autour des Chiens Galeux.

– Quatre pages dans *L'Obs,* tu te repositionnes dans la vie politique avant le second tour, tu peux appeler à voter pour un des candidats, ta présence devient déterminante.

Banco pour la petite gonzesse, avait soupiré Henri. O.K. pour *L'Obs,* mais je te jure que j'ai vraiment un goût amer quand je pense à tout ça.

La fille habitait vers Montparnasse, c'était une jeune journaliste, pas encore au sommet mais prometteuse, d'après Caro exactement la personne qu'il nous fallait, sensible, avec du style, et respectueuse des gens qu'elle interviewait.

Une grande partie de notre pécule avait déjà filé dans diverses conneries, le loyer de retard d'Henri, que je l'avais poussé à régler au moins en partie, un kilo de shit, devant servir de base à l'essor de la S.A.R.L. des Chiens Galeux, extension occulte du parti du même nom, plus un nombre incalculable de coups bas à droite et à gauche. Ces dernières semaines étaient l'occasion ou jamais de se renflouer.

– Qu'est-ce qu'il va falloir faire, s'était enquis Henri, juste répondre à des questions ou c'est plus profond ?

Tout citoyen est à quelque degré un théoricien politique ; il se forme une image du passé, interprète ce que lui offre le présent et se projette plus ou moins dans l'avenir ; sur la nature et l'exercice du pouvoir, il dispose d'un système d'attitudes, de normes et d'hypothèses, le changement le trouve rarement à court d'explications.

Bon, on avait beau avoir à tout hasard révisé le « Que sais-je ? », le premier contact avec Laurence, la copine journaliste de Caro, nous a laissés pantois.

– Je crois que ça va être plus profond, avait prévenu Caro, en général elle est hyper-consciencieuse.

L'idée était que toutes les interviews étaient un peu pareilles. Semblables. Convenues. Jamais superoriginales. Notamment en ce qui concernait le problème des banlieues. Misérabilistes. Ne rendant pas compte de la complexité des choses.

– J'ai pensé vous faire vivre une journée de quelqu'un d'aisé, et le lendemain l'inverse, que ce soit moi qui sois confrontée à votre quotidien, à vos problèmes.

Il y a eu un instant de flottement, Bordeaux semblait en adoration devant ses nichons et Lion a dit nous c'est pas vraiment banlieue, c'est plutôt exclus.

– Quelle genre de journée, a voulu savoir Henri, on va aller chez Maxim's, ou on va faire un tour en Rolls ?

Laurence a souri, elle avait un appartement à tomber par terre, immense, avec des pièces plus grandes que le studio d'Henri, des pièces à n'en plus finir.

– Non, j'ai pensé qu'on pourrait aller à Euro Disney, et après faire du roller.

– Du roller, a répété Henri, du roller...

Au départ il avait dit je veux bien faire l'interview mais c'est une plaque mini, à moins je ne la fais pas, mais Laurence lui avait conseillé de jouer le jeu, le gain à venir serait bien supérieur à ce qu'on pouvait présentement en attendre, et il avait fini par accepter le principe de la gratuité.

– Euro Disney ça peut être cool, a fait Bordeaux, mes neveux y sont allés, paraît-il que c'est la bonne éclate.

Et Lion s'est déclaré partant aussi, c'est un vrai trip grandeur nature, c'est l'hallu tu vas voir. Quant à moi faire évoluer Sam Païput et l'Ombre au milieu des personnages de dessins animés était, après tout, une possibilité envisageable.

Une photographe, amie de Laurence, nous accompagnait, pourvue tout aussi abondamment en nichons et trucs intéressants, effectivement la politique avait quand même pas mal de côtés bonards.

Du parking au monde merveilleux il y avait une sacrée trotte et heureusement des tapis roulants judicieusement installés nous permirent de ménager nos forces. D'après tous les éléments recueillis nous allions vivre un moment intense, rare, au milieu des héros de notre enfance, des grands archétypes de référence de notre civilisation, Mickey, bien sûr, mais aussi Indiana Jones, Aladdin, Blanche-Neige, rien qu'à consulter le catalogue j'en avais la tête qui tournait.

Pirates from the Caribbean, l'aventure parmi une joyeuse troupe de flibustiers et de pirates.
La cabane de Robinson, découvrez l'arbre de « la famille des Robinson suisses ».
Adventure Isles, des grottes secrètes, des chutes d'eau, des ponts entremêlés dans un cadre tropical.
Le Coffre du capitaine, tout pour le pirate, déguisements et accessoires.
L'Echoppe d'Aladdin, objets en céramique, vêtements et jouets Aladdin.
Le restaurant Hakuna Matata, parrainé par Maggi, spécialité de salades de poulet, ambiance africaine.

– Comment ça par Maggi, Maggi c'est le truc des soupes, c'est un stand publicitaire ?

– Mais ce ne sont pas des attractions, ce sont des boutiques et des restaurants !

Bon, du calme, certes il y avait des boutiques, pas mal de boutiques même, une véritable majorité de boutiques déguisées en fausses attractions, mais il y avait quand même de vraies activités ludiques.

– Un véritable piège à pèze, a murmuré Henri, songeur, en regardant au loin les tours du château de la Belle au bois dormant pointer leurs flèches effilées vers le ciel, un gigantesque piège à pèze. Et Laurence a noté sa réaction dans un petit carnet.

Bien, au final, pièges à pèze ou pas on s'est amusés comme des petits fous, le bateau des pirates et le truc genre manoir avec des fantômes et le machin qui vous projette dans l'espace, putain quelle trouille, Laurence nous a payé à tous des oreilles de Mickey et à Henri une grosse peluche de Minnie, plus le repas de midi dans *Walt's – an american restaurant,* menu quand même pas donné, ce qui a fini par provoquer un petit malaise, surtout quand Henri a sorti l'enveloppe avec le résidu de notre budget de campagne, il va falloir qu'on les fasse encore cracher d'ici à la semaine prochaine, en recomptant les liasses sur la table, alors que, Caro nous l'a expliqué ensuite, Laurence toute blindée qu'elle était se trouvait à mort à découvert et pas question que le journal rembourse tous les frais, en tout cas certainement pas la casquette Mickey, la peluche et le reste, ça elle le payait de sa poche.

Le soir on a fini en faisant du roller sur les quais, fermés pour travaux et là encore éclate totale, Henri à moitié bourré a failli tomber dans la Seine, pendant que Bordeaux faisait la course avec la photographe, le fait d'avoir déjà une bonne expérience du vélo lui donnait incontestablement un atout pour les exercices physiques. Personnellement j'avais un mal de chien à tenir sur ces trucs à roulettes, le risque de se casser un bras ou un poignet étant à mon avis extrêmement élevé, et j'étais donc resté à peiner derrière suant sur mes patins, à réfléchir au pour et contre de tout ce bazar, qui Henri allait soutenir et si réellement Les Chiens Galeux avaient un poids dans l'avenir politique du pays.

Le lendemain, comme a si bien souligné Henri, on a fait la renversée. Laurence en Micheto le clown, devant chez Franck et Fils, une pile de *Réverbère* sous le bras, et coup du sort bénéfique ou charme fatal, elle s'est fait une petite demi-journée à cinq cents balles, sans forcer, tenez mademoiselle, et plaf un petit billet, et pim un ticket-restaurant, tant et si bien qu'elle commençait à blaguer sur le fait que bon, exclus d'accord, mais si on pouvait la tuyauter sérieusement elle ne serait peut-être pas contre enquiller sur une reconversion professionnelle.

L'article est paru dans le numéro suivant, Laurence avait fini de le taper l'après-midi du bouclage et honnêtement, nous voir avec les oreilles de Mickey, sur des rollers, et Laurence elle-même vendant le journal, ajoutaient à l'article écrit vraiment sur un ton marrant, avec un aperçu de ce que pouvait être la vie des exclus, mettant d'ailleurs Henri plutôt en valeur, UN GIGANTESQUE PIÈGE À PÈZE, chapeautant le paragraphe narrant notre petite expédition, tout ça valait vraiment le coup et dans les deux heures suivant la mise en kiosque, mon répondeur, déjà mis à rude épreuve les jours précédents, avait failli imploser sous les assauts répétés des émissaires divers envoyés par les deux partis encore en présence.

Des bruits couraient que selon un sondage des R.G. le résultat allait se jouer dans un mouchoir de poche, qu'il risquait d'y avoir photo, et donc le moindre petit mouvement, courant, pouvant générer ne serait-ce qu'une bouffée d'oxygène pour l'un ou l'autre des candidats, était traqué jusque dans les moindres recoins de notre belle démocratie.

Au premier tour, nombre de petits partis avaient cartonné, même Arlette Laguiller avait vu son score augmenter considérablement, signe manifeste que tout était possible et qu'au jour d'aujourd'hui bien malin aurait pu dire avec certitude de quoi serait fait demain. Ajouter à ça l'ambiance hystérique présidant toujours à ce genre d'événements, Les Chiens Galeux et Henri Leconte étaient incontestablement en position de force. Comme avait très justement analysé Bordeaux, on jouait sur du velours.

Jouons cartes sur table, avait d'ailleurs tout à fait clairement exprimé Henri au représentant des Forces du Progrès, combien êtes-vous prêt à investir ?

Pendant que dans le même temps une évaluation chiffrée était à l'étude chez le Grand Sec, une conférence de presse des Chiens Galeux était prévue incessamment, et, en plus des émissaires politiques, nous étions envahis des demandes pressantes de journalistes, curieux de savoir de quel côté allait se positionner celui que *Le Parisien* avait baptisé Le Prince des Exclus, l'As de *Réverbère*.

– On a besoin de connaître votre position, avait insisté Henri, ça me ferait vraiment chier d'être obligé d'appeler à voter pour l'autre camp mais sans réaction de votre part dans les plus brefs délais je ne réponds pas de ce qu'il peut arriver.

La réponse nous était parvenue par voie médiatique, preuve en était si besoin est que nous avions définitivement franchi un pas dans notre mode de communication. « ... Il me semble urgent d'attirer l'attention des électeurs sur certains groupes d'individus, n'hésitant pas à se revendiquer comme les porte-parole des pauvres et de la misère alors qu'il s'agit en réalité d'opportunistes, d'aventuriers, bien plus préoccupés de leur fortune personnelle que du sort des victimes de l'exclusion... » Le gars qui parlait était un représentant d'une association d'entraide, très présente sur le front des télés depuis quelques mois, un satellite avoué des Forces du Progrès.

– L'enculé, avait réagi Henri, scié par tant de malveillance. La petite ordure !

A ce moment-là il y a eu un moment de doute et de flottement, si le Grand Sec nous lâchait aussi, c'en était fait de la rentabilisation maximale de la campagne, but quand même premier de cette aventure.

Dieu merci le soir même le téléphone sonnait, bingo, bingo et archi-bingo, non seulement c'était d'accord pour une contrepartie financière mais qui plus est le candidat en personne voulait rencontrer Henri, avec évidemment force répercussions presse-télé-radio, il était également question, peut-être, pourquoi pas, d'étudier la possibilité de lui proposer un rôle politique dans le futur gouvernement.

– Il ne nous reste plus qu'à prier, avait soupiré Bordeaux, s'ils nous jettent aussi on l'a dans le cul profond.

Depuis le premier tour, qui avait vu la fin de sa carrière politique, Henri était revenu à une vision plus réaliste des choses, à savoir combien on allait prendre, et les perspectives de retombées diverses, la suggestion à demi-mot du candidat, un rôle dans le prochain gouvernement, avaient malheureusement illico replacé le débat dans un contexte pour le moins farfelu.

Il était à nouveau reparti dans ses délires de quoi et de comment, et si jamais je suis ministre tu te rends compte de la responsabilité, est-ce que j'ai le droit d'accepter, c'est dur de rester simple et soi-même, proche de ses racines. Il me prenait à témoin, me demandait mon avis, c'est sûr que tu as dû connaître ça avec les articles et les émissions de télé pour tes bouquins. Il s'était remis à son programme, peinant sur un petit cahier, de manière à pouvoir être pertinent le jour de l'entrevue, prévue quatre jours avant le tour fatidique, tout étant calculé, la rencontre, l'annonce de la rencontre et, comme un couronnement, l'appel à voter pour le Bon, l'unique candidat favorable aux exclus, notre ami le Grand Sec.

Après négociations, on était arrivés à un consensus concernant le versement de deux cent cinquante mille francs.

– De toute façon les autres n'auraient jamais casqué, ils n'ont plus une thune, et ce sont des radins.

Le jour J, on était tous un peu impressionnés. La rencontre avait lieu au Q.G. de campagne, avec juste ce qu'il fallait de caméras pour immortaliser l'événement, seul Henri est monté, accompagné de notre contact, en costard strict avec un badge et le numéro de l'étage, d'après ce que j'avais compris il y avait toute une symbolique, selon l'échelon on était plus ou moins important, ensuite nous avions filé, à toute allure, sur l'autre rive de la Seine, pour la conférence de presse. La remise de l'argent, quant à elle, aurait lieu le jour de l'élection.

– En mon âme et conscience..., a commencé Henri, debout, très digne, sur la petite estrade d'un salon du Lutétia mis à notre disposition comme par magie. L'entrevue s'était passée impec, le candidat s'était révélé sincère, chaleureux, ouvert, en un mot, un être rare.

– En mon âme et conscience, avait continué Henri, **et compte tenu de ce que j'ai pu voir et ressentir au cours de mon parcours...**

Il avait ses deux mains posées sur la table, les micros autour de lui, en éventail, formaient un arc de cercle impressionnant.

– ... J'appelle solennellement à voter pour le candidat me semblant le plus à même, le plus proche,

de trouver une solution à la fracture sociale qui ne cesse de s'aggraver, jour après jour, dans notre pays.

A ce moment-là une voix a surgi du fond de la salle, justement l'auteur des déclarations meurtrières des jours précédents, et moi je t'accuse Henri Leconte, de malversations et d'indélicatesse, de malhonnêteté flagrante et de t'être vendu aux forces de l'Argent, au Grand Capital et aux porcs qui saignent la France depuis des décennies, Henri Leconte je t'accuse d'être un imposteur.

Il y a eu quelques secondes de silence, les yeux d'Henri ont cligné plusieurs fois, à la manière de François Mitterrand, depuis quelque temps c'était un tic qu'il avait adopté, et sa voix, forte, décidée, et ne tremblant pas, a rugi à travers la pièce.

– Un imposteur... Un imposteur...

Il avait l'air un peu triste, triste, mais aussi furieux.

– Mais où tu étais toi, lorsque j'étais dehors, dans la nuit, à vendre trois cartes postales pourries pour des lépreux fantômes ?

L'assemblée, composée en majeure partie de journalistes, semblait tout bonnement hypnotisée.

– Où tu étais toi lorsque j'étais au placard pour avoir volé quatre cent trente-deux francs de saumon dans un Monoprix un jour où j'avais faim ? Est-ce que tu t'es déjà fait les rames de métro, jour après jour, en ayant honte de toi, un journal mal imprimé à la main ? Est-ce que tu as dormi dans des cartons, par moins dix, en plein hiver, serré contre d'autres clochards pour avoir moins froid ? Non, camarade, non, certainement pas. Tu étais bien au chaud, bien au chaud avec le salaire de ta petite association, à dépenser les subventions octroyées, bien au chaud

à pérorer à longueur d'articles tes états d'âme sur les malheurs du monde. Excuse-moi camarade, excuse-moi si aujourd'hui je me permets de prendre la parole, je ne pensais pas te déranger autant.

Il a cligné encore une fois des yeux, dégrafé son micro-cravate, et il est descendu de son estrade, plus que jamais noble et digne sous la blessure, personne n'a tenté de s'interposer.

« RIFLÉ ! » avait titré *Le Parisien* le lendemain, prenant désormais fait et cause pour Henri. « Riflé complet ! » La journaliste relatait l'incident en appuyant sur le décalage entre les deux protagonistes, visiblement quelqu'un venant de la rue, du terrain, Henri, avait été pris à partie par un responsable d'une association, un jaloux, anxieux de voir apparaître un concurrent plus authentique, plus vrai, risquant de lui faire de l'ombre.

« ... Comme on dit dans le langage populaire, Henri Leconte l'a riflé complet... »

L'appel à voter pour le candidat figurant aussi en bonne place, relayé d'ailleurs dans pratiquement tous les organes de presse, et la télé avait abondamment diffusé les images du Lutétia... « en mon âme et conscience... » et donc ce qui devait arriver arriva. Le soir du second tour, nous prîmes un peu avant l'horaire fatidique la direction du Q.G., Bordeaux, Philippe-Lion, Caro, Laurence qui s'était jointe à nous, Henri, et moi, bien décidés à vivre en direct ces minutes à n'en pas douter historiques.

Les types à l'entrée nous ont refait le coup de savoir si on avait une invite mais cette fois les hôtesses nous ont reconnus et quand on est entrés dans la salle de presse, les regards ont convergé vers nous, ce sont Les Chiens Galeux, Les Chiens Galeux,

Les Chiens Galeux, et plusieurs journalistes ont demandé à Henri ses impressions et son sentiment sur l'issue de la soirée.

A vingt heures moins une la foule fébrile attendait les résultats dans une sorte de fièvre, des mamies enturbannées dans leur robe du soir, blindées de maquillage et frémissantes à l'idée que merde, ça va pas nous refaire le coup de Mitterrand II, le choc qu'on a eu ce soir-là, on l'avait quand même sec, et leurs maris, en costard, essayant d'être plus calmes mais tendus tout de même, c'est pas possible qu'on se tape les socialos une troisième fois, et quand à vingt heures zéro minute zéro seconde la silhouette aisément reconnaissable du gagnant s'est dessinée sur l'écran, tout le monde s'est lâché complètement, ouaaaiiiiis, ouuuuuaiiiis, c'est super, c'est super, j'en étais sûr, je le sentais que là c'était bon, en s'embrassant, pleurant, se congratulant, comme si d'un seul coup le Messie nous était rendu, avec des milliers de Valérie Lemercier, de Jean d'Ormesson adolescents débarquant de la banlieue, que des 92 et des 78, et pas besoin d'être grand clerc pour voir qu'ils ne venaient ni de Bagneux ni de Trappes, Versailles et Neuilly en liesse, et quand un peu plus tard le héros a fait une apparition au balcon, la foule s'est tellement condensée que plusieurs personnes se sont évanouies et Bordeaux en a profité illico pour aller se coller au milieu, sortir sa bite et se branler joyeusement, provoquant au bout d'un moment un glapissement effaré de la part d'une rombière, mais qu'importe, ce soir était un grand jour, un vrai grand jour, le jour du retour au pouvoir, le retour d'un des leurs à la Présidence de la République.

– Bon, j'ai fait un peu plus tard, on était passés à la Concorde où les festivités battaient leur plein. Henri avait vaguement caressé l'espoir d'être appelé à la tribune, mais une fois le résultat proclamé plus personne ne s'était intéressé à nous, et on était partis à pied, comme des misérables. Il serait peut-être temps de mettre les comptes à plat ?

Derrière, Bordeaux et Philippe ont approuvé vigoureusement. Oui, mettre à jour notre compta serait peut-être effectivement la moindre des priorités. D'après Henri, rien n'avait encore été versé, ce que bien sûr nous mettions fortement en doute, lui seul avait pu aller au rendez-vous, et évidemment le soupçon et la méfiance commençaient à gagner notre petite équipe.

– On aimerait bien voir la couleur de l'oseille, on a marché ensemble depuis le début, c'est normal qu'on touche ensemble.

Et là-dessus tout s'est mis à dégénérer gravement, un mot en entraînant un autre on en est vite venus à se dire des choses regrettables. Personnellement j'avais estimé mon apport à cinquante mille francs, représentant d'après moi le montant de mes émoluments pour l'aide apportée au projet, ce à quoi Henri m'a répondu que vis-à-vis de son association, il n'en était pas question, il risquait un contrôle et que, de toute façon, vu ce que je touchais avec mes livres, la pub occasionnée par la campagne, il ne se sentait absolument pas dans l'obligation de me payer quoi que ce soit, et que en plus je n'étais pas un vrai exclu. C'est pas parce que t'as galéré à un moment que t'es comme moi. Philippe s'en était mêlé en disant que la question n'était pas là, qu'on avait monté un coup commercial, et que maintenant il fallait partager, et qu'en plus Henri allait être ministre, à quatre patates par mois au minimum, c'était plus que normal qu'on croque sur le magot, il fallait savoir partager. Bordeaux a dit, j'ai eu ma mère au téléphone, elle trouve que t'as fait élire un enculé, au début elle croyait en toi mais elle pense qu'en fait t'es comme les autres, et Caro s'est mise à pleurnicher qu'elle aurait jamais cru ça de nous.

C'était un soir de printemps.

Le soir de la victoire.

Si tout se passait normalement, les prochaines élections auraient lieu après l'an 2000.

Deux millénaires après la naissance du Christ.

Ce qui, en y réfléchissant, n'était quand même pas rien.

– Je veux bien vous donner un peu, a conclu Henri, mais franchement je ne vois pas pourquoi je le ferais puisque, maintenant, plus personne n'en a rien à foutre de rien.

Plus rien n'a de sens.

Il n'y a plus de valeur.

– Tu te fous de notre gueule ? s'est énervé Bordeaux. Tu délires ?

– Non, pas du tout, a fait Henri. Plus rien n'a de sens. Le monde tourne en rond. Et de toute façon les thunes j'ai encore rien touché, ils doivent me les donner dans la semaine.

– Quoi, j'ai bondi, tu t'es laissé enculer ?

– Je vais être ministre, a fait Henri, c'est sûr, ou secrétaire d'Etat, comment tu veux qu'ils m'enculent ?

On s'est regardés. L'aube allait bientôt se lever et il y avait encore des gens manifestant bruyamment leur joie dans les rues, comme si un changement pouvait survenir de façon magique dans les jours à venir.

Mille neuf cent quatre-vingt-quinze ans après la naissance du Christ.

Cinq ans avant l'an 2000.

– Si vraiment tu n'as rien touché, alors c'est grave, a dit Bordeaux. C'est que tu as vraiment pété les plombs.

Henri avait les yeux dans le vague, on avait tous l'air fatigués.

Le monde perd la boule.

Et nous aussi.

Il a sorti de sa poche le cahier avec son programme, où était écrit avec application : « Programme Politique. Ministère de l'Exclusion. »

Le « Que sais-je ? », *La Psychologie politique*, tout corné.

J'aurais pu être président.

Pourquoi je ne pourrais pas être ministre ?

Ou secrétaire d'Etat ?

Tu crois que ceux qui sont en place valent mieux que nous ?

Qu'ils y connaissent quelque chose ?

Non, a dit Caro, vraisemblablement pas.

Ce que tu dis est un peu vrai.

Ministre.

Ou même président.

Il était tard, les gens qui n'avaient pas crié leur joie place de la Concorde commençaient à partir bosser.

En attendant, a conclu Philippe-Lion, ce qui est sûr c'est qu'on n'a pas l'oseille, et au final c'est encore nous qui l'avons dans le cul.

On est restés quelques minutes à méditer cette

maxime profonde, et puis comme il n'y avait pas grand-chose à ajouter d'autre, on s'est séparés, chacun de son côté, quand même un peu froidement.

Président ou ministre.

C'est vrai qu'il avait merdé.

Mourir comme un moins que rien

Il l'avait appris par inadvertance et il l'avait appris en prison. Le surveillant était venu un matin l'informer de son changement de cellule, on allait refaire les peintures, pas possible de rester dans celle-là, il était muté en deuxième division et, juste après dans le couloir, en attendant avec son paquetage, il avait entendu l'auxiliaire médical dire c'est les séros, c'est ceux qui sont positifs aux examens, ils les regroupent entre eux en attendant, et ça lui avait fait comme un voile glacial, depuis un moment tout le monde parlait de ça, sida et dépistage, et lui, non, pourquoi l'aurait-il eu, il n'y avait aucun signe, pas le moindre symptôme, les gens contaminés avaient des ganglions et lui les seuls qu'il avait c'était à cause de ses dents, à cause des abcès, rien d'autre, il en était certain.

Après, à sa libération, il n'y avait plus pensé, et lorsqu'il était retombé, la fois suivante, le médecin lui avait proposé de faire les tests, on peut vous faire les tests si vous voulez, il avait répondu non, non merci, je n'y tiens pas, autour de lui pas mal de gens l'avaient, séros ou déjà malades, et il n'avait aucune envie de se choper un problème en plus.

A seize ans c'était un chaud. Un chaud-bouillant. Dix-huit mois pour un sac à l'arraché et des braquages en série pour lesquels on n'avait jamais pu le coincer. La vie devant lui et franchement pourquoi j'irais me faire chier à gratter là où j'ai qu'à me baisser pour ramasser du pognon. Mais au fil des ans si on faisait les comptes ce qu'il avait récolté c'était surtout des années de prison, alors le sida en plus, franchement ce n'était pas du tout une bonne idée.

– Bon, avait dit le médecin, je ne peux pas vous obliger, c'est vous qui voyez, mais vu votre situation de toxicomane il serait préférable de les faire un jour ou l'autre.

Seulement cette fois-là, un peu avant la fin de son troisième mois, il était tombé malade, un des mecs dans la cellule avait ouvert une fenêtre, la nuit, sans qu'il s'en rende compte, il avait eu froid, il l'avait senti dans son sommeil, au matin il avait de la fièvre et s'était mis à tousser. Au bout de la semaine, c'était encore pire, la fièvre ne baissait pas, il n'arrivait même plus à descendre en promenade et on l'avait transféré à l'hôpital, au bout des bâtiments, après le Grand Quartier, un décor encore plus sinistre. La prison ce n'était déjà pas joyeux-joyeux, mais alors que dire d'une prison-hôpital.

– Vous avez un sida déclaré, lui avait annoncé franco le médecin, votre taux de T 4 est assez faible. Il faudrait envisager un traitement à base d'A.Z.T.

Il était tellement sonné avec la fièvre et la fatigue de la maladie qu'il n'avait pas percuté immédiatement.

– Oui, il avait répondu, d'accord, je suis d'accord.

Quinze jours plus tard il était de nouveau sur pied

et on l'avait renvoyé en deuxième division, avec ses nouveaux médicaments et un gouffre à l'horizon difficilement imaginable.

– C'est quoi les T 4, il avait demandé à un mec dans la cour, c'est grave ?

– Non, avait dit le type, ce qui craint c'est quand t'en as moins de cent, ou moins de cinquante, au-dessus de cent, t'es nickel, c'est absolument sans danger. Absolument sans danger. C'est que t'es juste séro, mon frère il l'a depuis 1983 et il est toujours normal, rien ne s'est déclaré. Ce qu'il faut surtout c'est demander du Bactrim, le Bactrim tue le virus mais ici ils n'en donnent pas, ça coûte trop cher, l'Administration pénitentiaire veut pas payer.

Un tambour.

Ça lui faisait exactement comme un tambour dans la tête, qui résonnait sans pouvoir s'arrêter.

Je suis malade, il avait écrit à sa mère, j'ai eu la grippe mais maintenant ça va mieux.

Il avait espéré qu'elle vienne ; au début, pendant les premières incarcérations, elle venait de temps en temps, ou envoyait un mandat, mais depuis quelques années ça n'allait pas fort, un problème au cœur, et aussi il fallait bien le dire, une certaine lassitude. Il lui avait volé de l'argent plusieurs fois, pas beaucoup, un peu, vraiment contraint et forcé, mais la vérité c'est qu'elle devait en avoir marre. Elle devait être fatiguée.

J'ai eu la grippe, mais heureusement ça va mieux.

Ça s'est arrangé.

D'après ses calculs il avait prévu de sortir en juin mais en août il y était toujours, une autre affaire était tombée entre-temps, une affaire si ancienne qu'il ne se rappelait même pas de quoi il s'agissait exactement. Tous les mois il voyait le médecin, pour le moment il supportait bien le traitement et il avait demandé du Bactrim et l'autre lui en avait prescrit. Plus des tranquillisants pour ses problèmes d'angoisse.

L'angoisse revenait souvent mais le médecin avait dit que c'était normal, c'est normal d'être angoissé dans votre situation, ce qui serait bizarre ce serait de ne pas l'être ; et tous les soirs il avalait sa fiole, au dodo, un peu de télé et au dodo.

Sa mère n'avait pas écrit mais, par contre, il avait reçu des nouvelles de son cousin. Les flics étaient venus le serrer et au moment de partir il avait réussi à s'enfuir, les flics lui avaient couru après, et dans la poursuite son cousin avait été renversé par le bus.

Et il était mort.

– Inutile de te dire que maman est effondrée.

Toute la journée il était resté à lire et à relire la lettre de sa cousine « et lorsque le policier a accepté que Pascal prenne quelques affaires, il en a profité pour s'échapper par la fenêtre ».

Un chaud.

Un bouillant.

Lui l'avait. Il avait fait les tests dans un hôpital, et depuis un bon moment. C'est pour cette raison qu'il avait dû réagir comme ça. Pas question que je crève en prison mon gars. Non, vraiment pas question.

– Ça va pas, avait demandé son collègue de cellule, t'as une mauvaise nouvelle ?

Il avait répondu, non, c'est mon pote, mon cousin, il est mort à cause des condés, et le reste de la soirée s'était passé à évoquer l'affaire, le pourquoi, le comment, et aussi les souvenirs, les braquages et la période de leur gloire, quand ils étaient allés en Thaïlande et le pognon qu'ils y avaient craqué.

– Il avait le sida, je pense que c'est pour ça qu'il a tenté le tout pour le tout, il n'avait pas envie de se retrouver incarcéré en plus.

Après ils n'avaient plus rien dit, l'autre type était séro aussi. Le surveillant avait éteint les lumières et la nuit s'était passée tranquillement. Une semaine plus tard il était convoqué chez le directeur, sa mère était décédée, d'une rupture d'anévrisme, et compte tenu de ses antécédents, des années avant il s'était sauvé de la semi-liberté, il était inenvisageable de lui accorder une permission, inenvisageable. S'il désirait assister à l'enterrement ce serait avec un garde. Avec un garde et les menottes.

– Je crois que j'ai la poisse en ce moment, il avait dit en retournant en cellule, je traverse une période noire.

L'enterrement avait lieu pas loin de Fresnes, où il habitait, à cinq minutes, tout droit et après juste au bout de la côte.

Une messe à l'église et ensuite au cimetière. Quand il était arrivé tout le monde l'avait regardé, les voisines et sa tante, et seule sa cousine s'était approchée pour l'embrasser en larmes, elle n'a pas souffert tu sais, elle ne s'est pas vue mourir. L'ascenseur était en panne depuis trois mois, l'appartement se trouvait au sixième, et c'est évidemment ça qui l'avait tuée, on l'avait retrouvée au retour des commissions. Sa cousine avait encore dit que de l'avis de pas mal de gens dans l'immeuble s'il faisait un procès les chances de gagner étaient sérieuses, et la cérémonie avait commencé.

Pendant tout le sermon il avait eu l'impression

très nette que le curé faisait des allusions, comme quoi on avait brisé le cœur de cette pauvre femme et que bien triste était parfois la forme que pouvait prendre la vie, la vie d'une mère, et c'était certainement plus qu'une impression parce que plusieurs personnes avaient tourné la tête dans sa direction, à se demander s'ils trouvaient tous que le fait qu'elle soit morte, une semaine après son cousin, et que lui soit là, à l'enterrement, avec les pinces aux poignets et un surveillant à côté, n'était pas déjà suffisant, qu'il y avait encore besoin d'en rajouter.

Pendant toute l'homélie il avait gardé les mâchoires serrées, pour retenir ses larmes, pleurer dans de pareilles conditions aurait quand même été le bouquet. A force de se contracter, son visage arborait une sorte de rictus curieux, un sourire fou, ses dents lui faisaient mal et quand sa cousine était venue lui demander de se mettre à côté d'eux pour recevoir les condoléances il avait juste réussi à hocher la tête, mais sans dire un mot.

Ils avaient défilé un par un, devant lui, sa tante et sa cousine, sa tante en noir et sa cousine qui chialait, courage, et sincères condoléances.

Si vous avez besoin de quoi que ce soit, et sa tante répondait en reniflant, à lui on ne disait rien, ou juste un truc vite fait, gêné, faites que cette connerie s'achève, s'il vous plaît, à un moment une femme s'était avancée en lui jetant un regard meurtrier, une femme qu'il connaissait, des années auparavant son fils était mort d'une overdose et tout le quartier l'avait accusé de lui avoir vendu, alors que la vérité était tout autre, ils étaient allés acheter à Strasbourg-Saint-Denis et le gars avait pris des cachets en plus, c'est pour ça qu'il était mort, vraisemblablement, pas d'histoires scabreuses là-dessous, en tout cas lui n'y était pour rien. Pour rien du tout.

– Au revoir, avait dit sa cousine, téléphone-nous quand tu sors.

Il avait dit lui aussi au revoir, apparemment le surveillant n'avait pas envie de s'attarder. Ils avaient remis le cap sur la maison d'arrêt.

C'était une période noire.

Une période noire et néfaste.

Un peu avant sa libération on l'avait contacté pour faire partie d'un stage de sortant. C'était une nouvelle formule mise en place par l'antenne toxicomanie, avec des activités, du théâtre, et une sorte de remise à niveau, où aller et que faire après, après la prison, et lui à ce moment avait réalisé qu'en général il allait chez sa mère, avant de repartir dans la galère et de trouver d'autres solutions, d'abord sa mère, c'était le point de chute, maintenant qu'elle n'était plus là, évidemment, c'était différent.

– Tu veux téléphoner à quelqu'un, lui avait proposé l'éducateur, joindre un proche ?

Pendant le stage ils avaient droit à quelques coups de fil avec l'extérieur. Une remise à niveau. Une réacclimatation en douceur.

Il avait appelé sa cousine au sujet de l'appartement. Il était né dans cet appartement, il y avait toujours vécu et, d'après l'éducateur, en tant que descendant il pouvait le récupérer, il suffisait d'alerter l'office des H.L.M. et de passer devant une commission.

– Je pense que ça doit être possible de leur en parler, non ?

Il y avait eu un silence, et puis sa cousine avait expliqué que les meubles étaient déjà enlevés, on les a mis à la cave en attendant, et le reste des affaires est chez nous. Comme tu étais incarcéré de toute façon ce n'était pas possible. Ça n'aurait pas marché. Les H.L.M. n'auraient jamais voulu.

– Bien, il avait dit. Je te remercie.

Il n'avait même pas envie de s'énerver.

– Et niveau santé, avait poursuivi l'éducateur. Tu as prévu quelque chose ?

Non, niveau santé il n'avait rien prévu non plus. A dire vrai sur ce point-là aussi il était un peu à court d'idées.

– Je pensais prendre rendez-vous à l'hôpital...

Bien, avait dit l'éducateur, parfait. Et ils avaient téléphoné ensemble. Après il y avait eu le théâtre, et là, franchement, il ne s'était pas trop senti de participer.

– Je préfère pas, il avait expliqué, ma mère vient de mourir, mon cousin aussi, pour le moment, je préfère pas.

La fin du stage était arrivée, avec sa libération, et il s'était retrouvé dehors, comme chaque fois, avec le bruit assourdissant des autos, les travaux sur la voie express avaient encore sacrément avancé, sauf que cette fois-ci il était sans endroit où aller, juste l'adresse du foyer d'hébergement que lui avait donnée l'éducateur, et cinquante francs. Il avait pris le bus jusqu'à chez lui. Après tout il avait encore les clés de l'appartement et une fois dedans bien malin qui pourrait l'en faire sortir.

Bien malin vraiment. Bande d'enculés. Bande de gros salauds d'enculés.

Il y avait droit. Il avait droit à cet appartement. Pas une aumône, non, un droit. Un simple droit. Sa mère avait l'appartement. Elle était morte. Il était le fils de sa mère. Le transfert était automatique. Au-to-ma-ti-que. Tous les H.L.M. fonctionnaient comme ça.

Mais malheureusement il y avait déjà quelqu'un dedans, une famille qui lui avait ouvert la porte en gardant l'entrebâilleur bloqué, des Portugais, mon Dieu, ils ont relogé des Portugais chez moi. La femme ne comprenait rien à ce qu'il racontait, et quand enfin, illumination, elle avait paru saisir, ç'avait été pour embrayer sur la cave. Les meubles. Les meubles sont dans la cave et nous gênent. Nous avons besoin de cette cave rapidement. Merci, vous serez gentil.

C'était une période noire et néfaste. Il avait hésité à monter chez sa tante, elle habitait le bâtiment en face, mais en pensant à comment cela risquait de se terminer il avait préféré renoncer. N'allons pas au-devant des problèmes, ils sont déjà bien assez nombreux comme ça.

Pour finir il s'était acheté de la came, avec ses cinquante francs et une radio portative qui lui restait de Fresnes. Un paquet minable qu'il avait à peine senti, et puis ensuite il s'était assis sur un banc, même pas défoncé, et il s'était demandé ce qu'il allait bien pouvoir faire. A seize ans avec son cousin c'étaient des chauds. Des chauds-bouillants. Les terreurs du quartier.

En définitive il avait opté pour l'hôpital. D'une part il se sentait fiévreux, certainement à cause du shoot, et puis l'hôpital restait une planche de salut de loin préférable au foyer d'hébergement. Il avait déjà été dans un foyer d'hébergement. En général ce n'était pas la crème qui allait là-bas. Tandis que l'hôpital c'était plus varié. Dans un hôpital il y a toujours moyen de s'arranger, grappiller à droite, à gauche. Et à l'hôpital ils allaient s'occuper de lui. Le bichonner.

– Et qu'attendez-vous de moi, avait demandé l'interne après trois heures à poireauter dans la salle jouxtant les urgences, des médicaments ?

Bon Dieu il était crevé, mort, c'était sa première nuit libre depuis huit mois, et il était à la rue.

– Je me sens vraiment pas bien, il avait gémi, je me sens faible, j'ai du mal à marcher, si vous me gardiez en observation je pense que ce serait plus prudent.

Et pour bien enfoncer le clou il avait fait ahhhh, ahhhhh, en esquissant un début de chute. L'interne devait avoir dans les vingt-deux, vingt-trois ans, et une gueule de con.

On l'avait collé dans une chambre avec un autre malade, un vieux qui crachait et qui toussait, et il avait passé sa soirée tranquillement à regarder la télé et à réfléchir, ce dont il avait besoin c'est d'un temps de réflexion. Un temps de réflexion et de méditation. Savoir ce qu'il allait faire maintenant et comment jouer ses cartes n'avait rien d'évident.

– Effectivement, avait constaté le médecin, vos T 4 sont plutôt bas. Il faudrait peut-être envisager d'associer le Rétrovir avec du D.D.I.

Ses T 4 étaient descendus en dessous de cent.

– D'accord, il avait répondu, je suis d'accord pour essayer.

Malheureusement il y avait un problème de lit dans le service et après toute une palabre entre la surveillante, l'interne et le médecin il avait été envoyé dans un autre hôpital, à Broussais, dans le quatorzième.

Une fois, avec son cousin, la même chose lui était déjà arrivée. Il avait une septicémie et les urgences l'avaient rembarré, toujours un problème de place, ils avaient dû se rabattre sur un autre hosto. C'était l'été et il était torse nu, son cousin lui avait volé une blouse d'infirmier et en chemin il avait dit : attends, arrête-toi, j'en ai pour une seconde. Son cousin s'était garé, il était descendu, il y avait une Société Générale sans sas de sécurité sur la place.

– Bonjour, avait dit le type derrière le comptoir. Bonjour...

Il avait sauté par-dessus, un dingue en blouse d'hôpital, le crâne rasé, en sueur, avec une septicémie et de la fièvre. Il avait giflé le mec, de toutes ses forces, ouvert le tiroir et pris les billets. Les gens dans la banque le regardaient, bouche bée et pétrifiés comme des statues.

– Démarre, il avait dit à son cousin, on s'arrache.

Il était arrivé dans l'autre hosto plein de liasses et de la came et de la coke en pagaille. Sur les quinze jours où il était resté le temps que l'infection se résorbe il n'avait manqué de rien. De rien du tout.

– Bonjour, avait dit l'infirmière, bonjour...

Mon Dieu il était à ramasser à la petite cuillère. Comme obtenir une ambulance s'était révélé impossible, la surveillante du premier hôpital lui avait conseillé de prendre le bus, direction porte de Châtillon par le 306, c'est direct, et il avait dû se traîner dans les transports jusqu'à Broussais.

A ramasser à la petite cuillère.

L'autre hôpital n'avait pas prévenu, ou en tout cas, s'ils l'avaient fait, c'était peut-être à l'autre équipe, qui maintenant était partie, sans laisser d'ailleurs le moindre mot ou consigne, et donc l'hospitaliser comme ça de but en blanc était quand même un tantinet problématique.

Il était assis sur la banquette, dans le couloir, juste en face de l'affiche sida, dépistage anonyme et gratuit, et quand l'infirmière était revenue, il s'était dit s'ils ne veulent pas de moi je m'en fous, je me couche par terre et je refuse de bouger, mais heureusement tout s'était arrangé par miracle, c'est l'interne qui était au courant, il avait eu l'autre interne, et oui, on allait lui dégager une chambre.

– Je suis sortant de prison madame, il avait précisé. J'ai la Sécurité sociale pendant un an.

Il avait tenu une semaine. Sept jours. Et encore en tirant sur la corde au maximum, en faisant semblant d'avoir des pertes de connaissance, Jésus, est-ce que vraiment c'est humain d'en être là, à faire le pitre, juste pour ne pas se retrouver à la rue, trente ans révolus et un cirque pareil, qui aurait pu le croire. Ils l'avaient quand même jeté, sans pitié, avec une proposition d'essai thérapeutique d'un nouveau médicament et un rendez-vous la semaine suivante avec l'assistante sociale.

– Ah, et ce serait pas possible de la voir avant ?

Malheureusement non, ce n'était pas possible, l'assistante sociale était en vacances et la remplaçante malade.

Il se sentait encore plus faiblard le jour de sa sortie qu'à son entrée.

Il n'avait même pas un franc.

Même pas cinquante centimes.

Rien.

Juste un sac en plastique avec ses affaires dedans.

Et une perspective en or : devenir clochard.

Dans un premier temps ce qu'il avait fait c'était

respirer. Essayer de se calmer et ne pas se laisser gagner par la panique. Je vais voler un peu. Me faire deux ou trois cents francs. Prendre un hôtel. Et aviser.

Dans le premier magasin où il avait tenté sa chance le mec à l'entrée l'avait suivi du regard, méfiant et soupçonneux, à moins que ce ne soit une impression, de la parano mal placée. Les alcools étaient sous clé, dans une vitrine, il s'était rabattu sur le saumon.

Au moment de passer les caisses il en avait les jambes qui tremblaient. Deux saumons entiers à cent quarante balles pièce. Et le regard du gérant tel un laser brûlant qu'il sentait dans son dos. Dans la rue il avait soufflé un grand coup, s'attendant d'un instant à l'autre à entendre la voix du type l'interpeller.

A dix-neuf ans il était passé aux assises pour vol à main armée, prise d'otage et tentative d'homicide. Quand les flics l'avaient serré, la première fois, avec son cousin, ils avaient trois sacs en plastique Monoprix, les grands, remplis de billets de cinq cents. Des calibres et un fusil à pompe.

Des chauds.

Des bouillants.

Et maintenant il était au bord de faire dans sa culotte pour un vol minable, dérisoire, deux saumons entiers sous plastique à cent quarante balles pièce.

Il avait revendu les saumons à un Arabe deux rues plus loin. Quarante francs et une tablette de Crunch. Ça faisait un paquet de temps qu'il n'avait pas mangé de Crunch. Petit il en mangeait souvent. Il avait l'habitude d'en piquer au supermarché à côté de l'école. Pendant que l'Arabe servait des fruits dehors il en avait profité pour prendre une bouteille de J&B. Le J&B se revendait plus facilement que le saumon. Tous les cafés rachetaient de l'alcool. Une heure plus tard il avait quatre-vingt-dix francs et un moral en légère hausse. La situation était en bonne voie de s'arranger, il était moins fatigué et mine de rien il avait repris confiance en lui.

Il y avait une solution simple. Une solution évidente à laquelle il aurait dû penser immédiatement. C'était vendre les meubles de sa mère. Les meubles dans la cave. Les meubles nous gênent. Il était remonté chez lui en bus, un nouveau plan d'action s'élaborant, bazarder les meubles et récupérer la cave. On pouvait très facilement vivre dans une cave. D'autant plus que c'était sa cave. C'est là qu'il avait fait son premier shoot. Là qu'il avait baisé pour la première fois. Il connaissait tout le monde dans les parages. Le gardien ne lui dirait rien. Il s'agissait d'une solution possible, pas le summum, mais une solution quand même.

Ils avaient changé les serrures et mis des digicodes, des digicodes à son bâtiment, et aussi une nouvelle peinture dans la cage d'escalier, détail auquel il n'avait pas prêté attention la fois précédente. L'ensemble faisait pimpant. Propre et pimpant. Il y avait déjà des tags sur les boîtes aux lettres et un gros graffiti sur le mur, les Marocains du troisième sont des pédés, avec une bite au-dessus. Quand il était jeune il n'avait pas le souvenir d'avoir écrit des bêtises pareilles. D'autres conneries oui, mais ce genre d'insanités non, jamais. Il était descendu direct dans les caves, à son passage les petits voyous assis sur les escaliers du bâtiment lui avaient tout juste dit bonjour.

Il était né là.

Il n'avait jamais habité ailleurs.

Les meubles étaient bien à leur place, démontés et empilés, la porte ne fermait pas mais de toute façon impossible d'avancer, ne serait-ce que d'un pas, il y en avait jusqu'au plafond.

Comment faire, appeler un brocanteur ou trouver quelqu'un avec une camionnette ou un acheteur local, des gens en train d'emménager, un jeune couple. La minuterie s'était éteinte, il avait rallumé, cette histoire de vente de meubles n'était pas une mince affaire à organiser. Pas simple du tout.

Au final il n'avait pas pu dénicher le moindre client, personne n'en voulait ou paraissait intéressé, et les brocanteurs contactés par téléphone acceptaient de venir mais pas gratuitement. Le débarrassage de la cave c'est gratuit seulement en cas de récupération vraiment rentable, pas pour trois éléments de cuisine en formica pourri. Payer pour les meubles en plus, il n'en était évidemment pas question.

Il était fatigué et il se sentait sale. Au cinquième aller-retour à la cabine téléphonique, le frère d'un type qu'il connaissait était venu le voir, un de ses copains avait un oncle plus ou moins ferrailleur, sur Vitry, qui serait à coup sûr partant pour venir jeter un œil à l'affaire.

Il avait dit, ah, tu crois, sans trop se faire d'illusions, mais chose incroyable et petit cadeau du ciel le gars était là et venait dans le coin en fin d'après-midi, oui, d'accord il ferait un saut et étudierait le problème.

– J'espère que vous vous entendrez, avait dit le

frère de son copain, pour le business il est dur, mais c'est quelqu'un de réglo.

Ils avaient bu un coup au Café Central, deux demis, vingt-deux francs, en parlant des choses telles qu'elles étaient maintenant, des gens morts, en prison, ou malades, et des jeunes de plus en plus désœuvrés et sans espoir. Le frère du gars faisait les journaux et ma foi c'était crevant mais somme toute assez lucratif.

– Ils sont une tripotée à en vendre, tout le monde le fait, si t'as besoin d'un dépannage tu devrais te brancher là-dessus, c'est un bon plan.

A cinq heures, il était remonté attendre l'autre, à côté du groupe de délinquants en herbe, il en avait vu certains tout bébés, il connaissait leurs parents ou leurs sœurs. Il y a quinze ans, c'est lui qui était là, scotché devant la cage d'escalier, les mecs le mataient sans faire de commentaires et personne ne lui avait adressé la parole.

A six heures moins le quart le brocanteur s'était décidé à apparaître, ils étaient descendus dans les caves et immédiatement il avait dit oh là là fallait m'expliquer que c'était ça, je serais pas venu, en hochant la tête et en faisant des grimaces, des éléments de cuisine en formica des années soixante, qu'est-ce que tu veux que j'en fasse ?

A la fin il avait dû pleurnicher et expliquer le contexte. Je sors du placard et j'ai rien, même pas de logement, et l'autre lui avait donné cent francs, en échange des meubles, des tables de nuit et du sommier, en pestant qu'il avait paumé sa journée. Même débarrassée la cave paraissait plus petite que dans son souvenir.

Coup de chance quand même il avait remis la

main sur sa collection de pin's, cachée au fond d'une étagère. A un moment, au temps de sa gloire, il s'était entiché de pin's. Une lubie. Le grand présentoir devait contenir une cinquantaine de pièces, au bas mot une fortune. Il avait entrepris le nettoyage de son nouveau chez-lui le cœur plus léger, les cent francs du broc, plus les cinquante qu'il lui restait, plus les pin's. Demain à la première heure il irait au Carré Marigny, la situation s'arrangeait doucement.

L'ennui de la cave c'était la poussière, après une demi-heure de balayage intense il y en avait toujours autant, un nuage diffus flottant dans l'air. Il avait posé le matelas par terre, sur une bâche, et dégagé l'établi pour s'en servir comme table. Ce n'était effectivement pas le summum, non, mais toujours mieux que de se retrouver à la Mie de Pain.

Il était ressorti acheter à manger, et des bougies, ça lui éviterait de se lever jusqu'à la minuterie toutes les cinq minutes, en attendant de se bricoler un éclairage conséquent. Au moment où il allait se coucher le gardien était passé voir de quoi il retournait et ils avaient discuté un petit moment, jusqu'à ce que l'homme lui demande mais c'est vrai que t'es malade, que t'as le sida ?

Le lendemain comme prévu il avait vendu ses pin's au Carré Marigny, une misère par rapport à ce qu'il en espérait, moitié moins en fait, mais suffisamment pour filer à Bagneux s'autoriser un extra.

La situation était en amélioration constante.

Au plan il était tombé sur des gens qu'il connaissait, et là encore on lui avait parlé des journaux, beaucoup s'y étaient mis et franchement entre aller voler et ça crois-moi c'est le jour et la nuit, pourquoi se casser la tête alors qu'il existait cette possibilité ?

Il était retourné chez lui avec l'adresse et l'heure où le camion était ouvert, normalement il fallait être parrainé mais de ce côté pas de problème, c'est les doigts dans le nez qu'il aurait son badge.

Il avait passé l'après-midi défoncé, sur son matelas, à écouter de la musique sur un petit transistor, savourant le plaisir d'être raide et réfléchissant, après tout, vendre les journaux n'était peut-être pas une si mauvaise idée. En prison il avait vu des reportages, S.D.F. et sans-abri, solidarité et exclusion. Pour être honnête, il aurait préféré se remettre à voler, mais pour être honnête aussi il avait trop peur de replonger pour mettre ce projet à exécution.

Un chaud.

Un bouillant.

– Ce qu'il faut, avait dit le responsable du camion, c'est des photos d'identité et aller te faire faire une carte de colporteur à la préfecture. C'est pas obligatoire mais c'est préférable. Après tu reviens et tu peux acheter autant que tu veux. Il y a quatre francs pour le journal. Six pour toi. Plus les pourboires.

Il avait bien une dizaine de vieilles connaissances, beaucoup allaient dans le métro et faisaient les rames, ou les sorties des magasins, ou les marchés, mais il fallait parler, dire un petit baratin et ça, là encore pour être honnête, ça coinçait un peu. Il avait finalement opté pour un feu rouge, pas très loin de chez lui, mais suffisamment pour ne pas tomber sur sa tante et des voisins, et proche du R.E.R. Un bon coin.

Les premiers jours, ça s'était passé au poil. Il avait fait des ventes. A chaque feu rouge, il remontait la file en présentant le journal et en souriant, merci, merci. Au début il avait eu vaguement honte, un peu de gêne, mais en fait c'était un boulot, le premier qu'il faisait de sa vie, ah, ah, un super-travail, et l'argent tombait, c'était ça le principal. Un midi il avait eu une embrouille avec des Roumains, soi-disant prioritaires sur la place, mais il les avait envoyés chier et tout était rentré dans l'ordre. Le soir il repartait s'approvisionner, avec un détour au plan, malgré la fatigue c'était une petite vie qui s'organisait.

La deuxième semaine il se sentait presque guilleret. Il y avait cette histoire de pension d'invalidité dont lui avait parlé l'assistante sociale de l'hôpital et au téléphone elle avait promis de lancer la demande rapidement. Il avait fini d'aménager sa cave, l'électricité à volonté et un petit réchaud pour le café, pour la douche il allait à la piscine, la caissière le laissait passer. Une petite vie. Une petite vie qui s'organisait doucement. Il allait présenter ses journaux en sifflotant, s'il vous plaît, merci, dans la voiture arrêtée au feu rouge, il y avait quatre types, du funk à fond qui s'échappait des vitres ouvertes, et direct le conducteur avait dit dégage clochard, on donne pas aux toxicos, avec un air vraiment méprisant, et sur le moment il avait été tellement saisi qu'il était resté sans ciller, à le regarder droit dans les yeux, avant de répondre vas-y, répète, répète ce que tu viens de dire.

L'autre avait baissé la musique, qu'est-ce qu'il y a fils de pute, t'es pas content, t'as un problème ? et la seconde suivante il avait entendu le claquement des portières et des formes qui se mouvaient dans sa direction. Il était par terre, en train de se faire savater, les mecs l'avaient lynché sur place. Qu'est-ce que tu as, fils de pute, t'es pas content, dans la poussière du carrefour et les klaxons des automobilistes derrière.

– J'ai eu un accident, il avait bredouillé en arrivant à l'hôpital. Je me suis fait agresser.

Les médecins avaient diagnostiqué un traumatisme crânien, des côtes cassées, une fêlure de la clavicule, des fractures à la main et au poignet, et aussi des traces de sang dans les poumons. Désolé, avait conclu l'interne, mais je suis obligé de vous hospitaliser.

Il avait été soulagé. Soulagé et presque content. En tout cas rassuré.

– Vous croyez que j'en ai pour longtemps, il avait demandé en se glissant dans les draps, vous croyez que c'est sérieux ?

La nuit il avait rêvé des trucs bizarres, pas vraiment un cauchemar mais pas quelque chose d'agréable non plus. Il flottait avec son cousin dans une espèce de lac, sur le bord, et il y avait plein d'algues brillantes et phosphorescentes qui donnaient au fond de l'eau un aspect étrange, une dimension presque magique, et eux nageaient au milieu, tous les deux ensemble.

Les premiers jours il était resté couché, sonné, à attendre que tout se remette. Comme il était un peu en manque on lui avait donné du Skennan, et il regardait passer le temps à moitié défoncé, en se disant que somme toute les choses auraient pu virer plus mal, en bouquinant les livres de la bibliothèque de l'hôpital, des séries noires et de la poésie. Depuis un moment il avait envie de lire des poèmes, *Les Fleurs du mal* et un machin de Ponge avec une histoire de savon, en fait n'importe qui aurait pu écrire des phrases aussi simples, mais justement c'est cette simplicité qui faisait mouche.

L'assistante sociale était revenue le soir et ils avaient fait ensemble le dossier pour la Cotorep. Pension d'invalidité, A.H. adulte handicapé avec les droits et les obligations, les possibilités d'avoir un P.O.P.S., un appartement thérapeutique, et les problèmes que ça posait s'il voulait avoir une activité salariée.

– Mais ça veut dire quoi exactement, que je suis un invalide, comme quelqu'un de paralysé ?

Les jours suivants il en avait profité pour téléphoner à une fille avec qui il avait été un moment, c'est son frère qui avait répondu, la fille n'était pas là et ils avaient discuté quelques minutes, et quand le frère avait demandé et toi ça va, qu'est-ce que tu deviens ? il avait dit moyen, pas trop, j'ai le sida, je suis à l'hôpital. Si on analysait tout avec froideur et objectivité il s'était mis avec cette fille après avoir surpris la remarque de l'auxiliaire à Fresnes, des années avant, et aussi après que son cousin avait fait les tests, en sachant très bien qu'ils avaient shooté ensemble des centaines de fois sans précaution, et donc à un moment où il était en mesure d'avoir de très sérieux doutes sur une séropositivité éventuelle. Il était resté avec cette fille huit mois environ, entre deux incarcérations, et ils avaient partagé la même pompe et baisé sans préservatifs. A l'époque il y avait pensé plusieurs fois, est-ce que je le suis et est-ce que je suis en train de lui refiler ? Ah, avait réagi le frère, le sida, c'est vraiment pas de bol, et ils avaient raccroché en disant qu'ils se rappelleraient bientôt, quand Sophie serait là.

Petit à petit ses blessures avaient fini par guérir

et un matin l'interne avait de nouveau fait allusion à une sortie imminente.

Qu'il allait pouvoir retourner chez lui.

– Ah, il avait dit, ah oui...

Il avait repris le bus, cette fois-ci avec plus de sacs en plastique, tout son barda accumulé pendant l'hospitalisation, direction sa cave, la cave du rat, ah, ah, mais en arrivant devant son bâtiment un pressentiment atroce l'avait saisi. Les jeunes avaient murmuré un commentaire sur son passage qu'il n'avait pas compris, la porte de la cave était arrachée, tout était dévasté à l'intérieur, avec des gros graffitis affreux *Sida* et *Va crever ailleurs toxico, Non à la drogue, On ne veut pas attraper le sida pédé, Pédé-sida,* le matelas avait brûlé et le réchaud était tout disloqué par terre.

Oh, putain, il avait pensé. Oh, putain.

Dans le couloir les jeunes s'étaient rapprochés, un groupe compact et malfaisant qui le fixait, *Pédé, pédé et sida.* Il avait posé ses sacs en plastique le long du mur calciné et il avait fait face.

– Barre-toi, avait fait le premier, t'es plus chez toi ici, va-t'en.

Et derrière un autre avait renchéri, on ne veut pas de drogue, on ne veut pas de dealer, va-t'en et il avait reconnu le gars, c'était un de la famille du type qui avait fait une overdose à Strasbourg-Saint-Denis des années avant, dans son souvenir c'était un bout de chou, haut comme trois pommes, et là on aurait dit Africa Bambata, avec une coupe à la Mike Tyson et une batte de base-ball.

– Barre-toi, avait recommencé le premier, barre-toi ou on va t'exploser.

Il avait vu rouge, il avait perdu tout contrôle, et il les avait insultés.

– Ah oui, il avait répondu, c'est à moi que tu parles comme ça ?

Ils l'avaient massacré dans le couloir de la cave, des coups de pied, des coups de poing qui pleuvaient, tantouze, tapette, drogué. C'est le gardien qui était intervenu et qui l'avait dégagé. Reviens jamais tantouze. Reviens jamais ou t'es mort. La prochaine fois on te tue.

Chez lui.

Dans son propre immeuble.

– Mince, s'était exclamé l'interne, déjà de retour !

Cette fois-là quand l'assistante sociale était passée prendre de ses nouvelles, mais que t'est-il encore arrivé ? il avait pleuré. Des larmes de désespoir, en racontant tout, sa situation, sa tante, la cave, et où je vais aller maintenant, qu'est-ce que je vais faire, j'ai plus qu'à me foutre en l'air ? L'assistante sociale avait dit qu'il aurait dû lui en parler plus tôt et qu'elle allait se mettre en quête d'une maison de repos. Une maison de repos, tu vas voir, c'est ça qu'il te faut.

La nuit il avait fait des rêves épouvantables où les jeunes le pendaient, la corde cassait, et ils l'achevaient à coups de bâton, comme un animal malfaisant.

Que se passe-t-il fils de pute ? T'as un problème ? T'es pas content ?

Quelques jours avant de partir à la maison de repos il avait croisé quelqu'un qui connaissait la fille avec qui il était resté huit mois, celle dont il avait eu le frère au téléphone, et suite à ça justement elle avait fait les tests et oui, elle l'avait aussi. Peut-être à cause de lui, peut-être pas, on ne pourrait jamais le savoir, mais le mal était fait.

– Merde, il avait dit, c'est pas le bol.

Mais honnêtement cinq minutes après il n'y pensait plus, il s'en foutait complètement, il avait déjà suffisamment à faire avec ses propres ennuis, pas la peine de s'encombrer avec ceux des autres.

La maison de repos était en grande banlieue, à perpète en train, dans un parc, une maison de repos trois-étoiles avait dit l'assistante sociale, là-bas ils vont te bichonner, il était le seul dans sa situation, la majorité des résidants étaient des sportifs ou des motards, amputés ou paralysés suite à un accident, ce qui donnait au lieu une touche étrange, des myriades d'éclopés déambulant. Dès le début il s'était senti mal à l'aise, au milieu de ces mecs musclés et bons vivants, tous les soirs il y avait des séances de poker dans les chambres. On jouait de l'argent ou des bouteilles de whisky, ou des cartouches de clopes et, comme il n'avait rien de tout cela, au bout de quelques soirs, il n'y avait plus été, ou alors il passait et regardait sans rien dire. A la fin de la deuxième semaine il avait été malade. Il avait vomi partout dans la salle à manger et après il avait perdu connaissance dans les escaliers, le directeur avait appelé l'hôpital et le lendemain il était de retour dans le service, encore moins fringant qu'à son départ, et pour tout dire de plus en plus déprimé au sujet de son avenir.

On l'avait changé d'étage et comme il se plaignait de douleurs dans la tête ils lui avaient fait passer un scanner, dont les résultats n'étaient pas fameux, il avait des sortes de kystes et c'est ça qui lui faisait mal et risquait d'interférer sur son système nerveux.

Il ressentait aussi des fourmillements dans un pied et le matin il était tout froid. Le mec de la chambre en face était un pédé en phase terminale, quelqu'un d'Act Up qui était paraît-il déjà passé à la télé, et quand il lui avait fait part de ses nouveaux symptômes il avait hoché la tête et pronostiqué une paralysie prochaine. Tu vas voir ce que je te dis, des kystes dans le cerveau et des fourmillements, c'est sûr que tu vas te retrouver paralysé. Souvent ils passaient d'une chambre à l'autre pour discuter et de fil en aiguille ils étaient devenus un peu copains. Le type devait collectionner les livres parce que sa chambre en était pleine, pire qu'une bibliothèque, des volumes entassés à même le sol, avec un petit ordinateur portable posé sur la table, des livres, des livres et des livres, et tous sur le même thème. Sur la mort.

La Mort au siècle des Lumières.

Vivre et mourir en Occident.

Voir la mort en face.

La Source noire.

La Vie après la vie.

Les Montagnes de l'immortalité.

Vaincre la mort.

Mort et sida.

Et même des trucs qui n'avaient rien à voir mais dont le titre comportait le mot mort.

Vivre et laisser mourir.

La Mort dans un cercueil vide.

Les Yeux de la mort.

Des livres, policiers ou populaires, des années soixante. Des thèses et des ouvrages d'histoire. Des romans. De tout.

– Eh bien il avait dit, je vois que tu t'es documenté sur la question.

Une fois une équipe de cinéma était venue et avait filmé ce type. Son grand projet était de mettre sur pied une immense bibliothèque de référence, des centaines, des milliers d'ouvrages regroupant la totalité des publications sur le sujet : mourir.

Ils en avaient parlé avec l'assistante sociale et c'était plus qu'évident que là-dessous se dissimulait un malaise profond, un blocage psychologique lié au refus de la maladie et de son issue.

– C'est vraisemblablement une manière d'exorciser le problème.

A part lui et le pédé collectionneur de livres, les autres dans le service tournaient assez régulièrement. Le personnel était gentil et il y avait du matériel vidéo offert par quelqu'un de connu qui, à la suite du décès de son mari, avait fait don de tous ses cadeaux de mariage ; au goûter un animateur habillé en steward passait leur proposer une collation ou des livres, histoire de leur égayer l'humeur, pas à dire, ils avaient bien fait les choses.

Un soir une fille était arrivée et, tiens mais quelle surprise, c'était quelqu'un qu'il connaissait, une fille qu'il avait déjà vue à des plans. Ils avaient papoté une bonne partie de la soirée et ma foi ça faisait plaisir d'avoir une compagnie proche, le pédé c'était une chose, il était sympa et même plutôt marrant, mais quand même à fond barré dans son truc de bibliothèque, tandis que la fille était plus sur sa longueur d'onde, avec un parcours et des expériences communes.

Les médecins lui avaient reproposé du Skennan, ou du Mosquontin, ou même éventuellement une recommandation pour un programme Méthadone, ils voulaient un peu savoir où il en était niveau came, mais bizarrement il avait refusé, non merci, lui qui toute sa vie avait couru après ça n'en avait plus aucune envie.

La chambre d'hôpital était devenue une véritable bibliothèque, une bibliothèque ayant pour objet un unique sujet : la mort.

Une nuit la fille était venue le rejoindre et ils avaient fait l'amour, un peu laborieusement, au moment crucial il avait eu une vague velléité de mettre un préservatif et puis en fait à quoi bon. Après elle n'arrêtait pas de parler du cours de Vincennes, et sur le cours ceci, et sur le cours cela, des anecdotes scabreuses, et c'était dur de le penser mais franchement elle le dégoûtait un peu, l'imaginer avec tous ces mecs n'était pas une idée appétissante. On pourrait avoir un enfant, elle avait suggéré à un moment, maintenant plein de gens séros en ont, c'est tout à fait possible, et il était resté dans le noir, sa cigarette qui faisait une petite lumière, en se disant mon Dieu, mon Dieu mais quel malheur, avant d'approuver vaguement, oui, bien sûr, après tout pourquoi pas.

Il y avait un livre du pédé qu'il aimait bien, une danse macabre datant du dix-septième siècle, avec des reproductions de gravures et de dessins, la mort représentée par un squelette emportant les défunts, quelles que soient leur classe et leur condition. Il y avait certains vers qu'il affectionnait, particulièrement celui intitulé *Le Triomphe,*

Malheureux qui vivez au monde
Toujours remplis d'adversité,
Pour quelque bien qui vous abonde,
Serez tous de mort visités.

Et aussi un autre,

Le palais que j'ai fait bâtir
A le quitter sitôt me peine
Mais alors puisqu'il faut partir
Cette discussion est vaine.

Les danses macabres avaient pris naissance dès le début de la littérature, prenant des formes plus ou moins différentes selon les pays et les époques, il y en avait eu de célèbres en Allemagne, c'était le début de la thèse du pédé, le début de son grand livre. Parfois il y avait des lectures publiques, infirmières et malades parmi les intimes étaient conviés et tout le monde devait écouter religieusement des passages de l'œuvre, vraiment c'était bien, super-intéressant. Malgré tout, de jour en jour, le pédé déclinait, par intermittence on aurait dit qu'il perdait la boule et lui de son côté avait le pied presque complètement paralysé. Il arrivait à marcher, mais en boitant et ça n'arrangeait pas son humeur.

La fille était repartie dans un appartement thérapeutique et des gens qu'il y avait à son arrivée dans le service, il ne restait plus que le pédé et lui, comme deux vieux copains partageant le même sort, en général maintenant pour le sida les gens ne restaient pas, ça coûtait trop cher, le pédé et lui étaient des sortes de privilégiés.

Un week-end ils étaient allés au marché aux livres, à Brancion. Le pédé avait encore acheté des livres, notamment un livre de poésie extraordinaire, *Chant de guerre et de mort*, de Robert Howard, dont ils avaient lu des extraits, dans le bus, en rentrant.

Elles m'entourèrent alors que la lune ténue brillait
Et, levant les yeux vers leurs hauteurs inhumaines
[et glacées,
Je criai et me débattis et de la main les frappai.

Sinon, pendant la semaine, il allait au parc profiter des beaux jours, soit à Montsouris, soit à Georges-Brassens, avec sa serviette sur les pelouses autorisées, étendu sur le dos, repensant inlassablement à son voyage en Thaïlande, tout ce qui leur était arrivé là-bas, la poudre et le délire à gogo, et tout l'argent qu'ils avaient claqué.

Un soir le pédé était mort, plop, comme ça, d'un coup, sans vraiment prévenir, il avait suivi tout le déroulement des opérations par la petite fenêtre de sa porte. Les infirmières d'abord, et puis l'interne seul, le chef de service n'était pas venu. Une aide-soignante lui avait dit une fois qu'en général les médecins n'aimaient pas les morts, ça leur faisait une sorte d'échec et ils préféraient les éviter. Après ils avaient amené un grand sac en plastique avec une fermeture Eclair, et ils avaient fourré le pédé dedans, sur le lit au milieu de la chambre ressemblant à une librairie spécialisée, spécialisée sur la mort, ah, ah. Quand tout le monde avait été parti, il était entré à son tour, avait volé quelques livres, une « Pléiade », les *Chants de guerre et de mort*, et un dollar en argent porte-bonheur trouvé dans le tiroir de la table de nuit. Il avait hésité sur l'ordinateur, mais les infirmières risquaient de s'en apercevoir, et ma foi pas la peine de se mettre mal avec les rares personnes encore bien disposées à son égard.

Cette nuit-là le cauchemar qu'il fit était particulièrement épouvantable, il se touchait une partie du corps et c'était comme de la glace, de la glace enveloppée dans une grande bâche en plastique qui avait la couleur du cadavre, blanc livide et transparent en même temps. En se réveillant il avait eu du mal à sortir du lit, la moitié de sa jambe était ankylosée, et il avait fallu attendre la fin de la matinée pour que petit à petit ça revienne et qu'il puisse marcher. Dans le couloir les gens d'Act Up étaient venus chercher les livres et il avait assisté au déménagement, carton après carton, en regrettant de ne pas en avoir pris plus.

L'après-midi, après avoir vendu la « Pléiade », il s'était traîné jusqu'à Bagneux, où il avait réussi à obtenir un petit paquet contre cent francs et le dollar en argent porte-bonheur, ça l'avait rendu malade et il avait passé le reste de la soirée à méditer sur sa connerie et à prendre du Doliprane. Douleur et fièvre. En attendant que ça passe.

Ensuite il y avait eu un léger mieux, une rémission, il était de nouveau retourné au parc, à bronzer, en se disant après tout que peut-être ils allaient trouver un truc et qu'il ne serait pas trop tard pour en bénéficier, mais il se sentait quand même de plus en plus détaché, quand l'assistante sociale lui avait annoncé d'un air désolé que tout son dossier de la Cotorep avait disparu, une bévue, un hiatus informatique, il s'était contenté d'opiner, ah zut, j'espère qu'ils vont le retrouver, sans manifester plus d'émotion. La seule chose qui le chiffonnait restait le problème de l'enterrement. Les gens démunis étaient enterrés au cimetière de Bagneux, dans un coin spécial, et déjà ça le faisait chier d'être mis en face des plans de came, bêtement ça lui foutait les boules, mais en plus il ne voulait pas partir à la fosse commune. L'assistante sociale avait beau lui soutenir que non, ce n'était pas exactement ça, il faisait une sorte de fixation là-dessus.

Face au parc il avait repéré un Crédit Lyonnais dont les employés ouvraient une petite porte latérale à cause de la chaleur, ce qui représentait une issue facile, la porte donnait juste sur l'intérieur de l'agence, et il s'était vu entrant, un chaud, un bouillant, tout braquer et s'arracher en Orient et se finir là-bas, ou en tout cas sortir avec suffisamment d'argent pour régler ce mesquin petit souci d'enterrement, mais seulement quand il avait essayé de mettre son projet à exécution, c'est-à-dire dans un premier temps aller jeter un petit coup d'œil et se rendre compte de plus près, il avait été pris de tremblements et d'une peur épouvantable, avec un gouffre sans fin qui dépassait les limites du rationnel, mourir à l'hôpital de Fresnes, il était ressorti de la banque comme un zombie.

La vérité c'était qu'il commençait à ne plus en avoir rien à foutre de rien et à n'être plus capable de grand-chose. Par exemple il avait arrêté de fumer. De boire également. Avant il s'autorisait un demi de temps en temps, et une gamelle, un menu-plat du jour à la brasserie porte de Châtillon, mais là, honnêtement, il n'en avait plus le goût. Et quant à faire une banque, mon Dieu ; c'est tout juste s'il arrivait à repenser à tous les plans qu'il avait faits avant comme quelque chose de réel.

Au mois de septembre il s'était mis à pleuvoir, il avait malgré tout continué à aller au parc, sur son banc, à la même heure, dans le milieu de l'après-midi, et doucement s'étaient imposées une sensation et une impression apaisantes, une acceptation totale du monde, de sa situation, des autres, et du gâchis qu'avait été sa vie. Toute chose étant à sa juste place, sans indications particulières de bien ou de mal, juste se trouvant là.

Chaque après-midi il passait plusieurs heures sur son banc, dans cette espèce de nuage calme et paisible où tout apparaissait comme inéluctable, et puis quinze jours après son état avait empiré. Il était mort en quelques heures, et comme l'assistante sociale était de nouveau en vacances et que sa Cotorep n'était toujours pas arrivée, et que la remplaçante n'était pas au courant de l'affaire, on l'avait enterré à Bagneux, avec les gens démunis.

Comme un moins que rien.

Folie des images pieuses

Pour Alice

– Je suis une salope, elle avait coutume de dire. Une véritable super-salope.

Et ma foi pour qui regardait les choses avec une certaine objectivité, c'était la vérité.

Elle avait tout le temps plusieurs mecs à la fois.

Elle adorait les trucs scabreux, les trucs un peu rebutants, hors normes, et comme elle était très jolie cela donnait à l'affaire un piquant supplémentaire.

Elle avait baisé avec son ami et les amis de son ami.

Attachée un soir de pleine lune dans un bois proche de Paris.

Prise par des inconnus, qu'elle avait dû sucer et satisfaire jusqu'au matin.

Avec un couple rencontré par Minitel.

Avec son voisin du dessus.

Avec le fils de l'épicier en bas de chez elle.

Son ami l'avait fait lécher par son chien.

Et plein d'autres choses encore qui souvent la dégoûtaient, mais plus ça la dégoûtait et plus ça l'excitait.

Le seul centre d'intérêt qui l'absorbait, hormis le sexe, était le théâtre. Elle écrivait une pièce, *Désir et Blasphème,* sur une libertine du dix-neuvième, en pleine pesanteur morale, qui faisait les quatre cents coups.

Désir et Blasphème.

Elle s'était mise également à collectionner les images pieuses, les images kitsch, les images de saintes.

Parfois son ami la déguisait, avec des tresses : regarde tu ressembles à sainte Irène, il la baisait sans relâche devant les reproductions d'icônes qui maintenant parsemaient les murs, ou alors ils allaient dans une église déserte, tirer dans une église, c'est un classique, non ?

Parfois elle se mettait à rêver qu'elle était vraiment une sainte, avec une auréole, une lumière autour d'elle et des serpents venant la pervertir, elle allait dans des partouzes, dans des clubs, et avait des orgasmes terribles, des contacts qui la révulsaient et la mettaient en même temps dans des états pas possibles.

– Ça me dégoûte, ça me dégoûte et ça m'excite à la fois.

Par moments elle se disait il faudrait que j'arrête, que je me trouve un vrai mec, et pourquoi pas que j'aie des enfants, mais en fait rien ne changeait, si ce n'est son petit appartement recouvert de tableaux et d'images, la Vierge et son enfant, des scènes bucoliques avec des anges et des saintes, des visages de saintes, toutes sortes d'images pieuses, à l'exception du Christ.

– J'ai besoin de me sacrifier, de me sacrifier sur l'autel du sexe, hi, hi, de me faire sauter jusqu'à plus soif.

Et elle continuait à collectionner ses bondieuseries, mince pour une fille comme toi c'est pas le moindre des paradoxes, on lui faisait remarquer l'incongruité d'une telle juxtaposition, et ça la rendait mal à l'aise, désinvolte bien sûr, mais mal à l'aise quand même.

Le sexe parfois la dégoûtait et c'était ce dégoût qui l'excitait.

Un peu après les fêtes, il fut question d'organiser un carnaval, un carnaval paillard, dans un château, à l'ouest de Paris, tout le monde déguisé, prêt à tout, à la folie, que des couples bien sous tous rapports, souvent qui ne se connaissaient pas, de vingt et une heures à l'aube, d'abord un banquet, et après l'orgie, elle avait dit d'accord, je viens, évidemment, c'est sûr que ça risque d'être super.

En fin d'après-midi, elle était déjà un peu fatiguée, elle avait dû aller voir sa mère, déjeuner en famille, et comme il y avait au moins une heure de route jusqu'au lieu de débauche, elle était arrivée fatiguée et avec une légère migraine, et quand quelqu'un lui avait tendu une pilule elle l'avait prise sans hésiter, c'est quoi, c'est un ecsta, ça lui ferait toujours passer le mal de tête.

Tout le monde était costumé, qui en fée, qui en toréador, avec une nette prédilection pour les pirates et les princesses captives, à croire qu'ils s'étaient tous fournis au même endroit. Elle avait commencé à déambuler parmi les salles, parmi les couples masqués, les femmes en tenues extravagantes, leurs seins nus et apparents pris dans des résilles et leurs jambes gainées de bas, toutes les panoplies usuelles, la mascarade en plus.

– T'as vu, lui avait dit quelqu'un, je crois que l'on ne va pas s'ennuyer.

Il y avait une enfilade de grandes pièces, avec un buffet et de la musique, elle avait pris une coupe de champagne, elle se sentait bizarre, un peu ailleurs, sans vraiment le feu et le truc qui la prenaient habituellement.

A l'étage, dans les petites chambres, la fête avait déjà commencé, les images des corps enchevêtrés, qu'elle avait vues cent fois, une femme à genoux, la silhouette de ses fesses dessinant dans la pénombre une courbe plus claire, laiteuse, les trois hommes autour étaient deux arlequins et un capitaine Haddock, et ça lui avait fait penser à un peintre qu'elle connaissait, qui mettait dans ses toiles un maximum de figures de bédé et d'imageries populaires.

– Ça va, t'as déjà eu des X ?

Et elle en avait repris un, à moitié machinalement, à moitié parce qu'elle avait encore mal à la tête, et peu de temps après les deux étaient montés d'un seul coup, hyper-fort, et elle avait réalisé que ce qu'elle avait pris pour de l'ecstasy la première fois devait être en fait de l'acide, un acide surpuissant, elle avait l'impression d'halluciner complètement. Chaque personne croisée avait une tête connue, un visage qu'elle avait déjà vu, sans pourtant arriver à les restituer. Qui étaient-ils et que faisaient-ils là ? Angoissante et grande question.

Et puis soudainement l'explication était venue, l'irradiant d'une prise de conscience atterrante de limpidité, c'étaient les images, les images pieuses qu'elle avait chez elle, les saintes et anges du paradis incarnés, les Immortels, en train de partouzer, et elle au milieu d'eux.

– Viens, disait quelqu'un, t'as pas envie de t'approcher un peu ?

Elle avait tourné la tête, pétrifiée, c'était Jésus lui-même et Jean-Baptiste à côté qui ricanaient de son trouble, mais oui, bien sûr, c'est nous. Les jarretelles de sainte Thérèse claquaient sur ses cuisses molles pendant qu'un gros la défonçait en chuchotant des obscénités, un gros qui n'avait pas de tête, Denys, premier évêque de Paris, en écarquillant les yeux elle avait pu distinguer la partie manquante posée à côté du lit, on dit des saints qu'ils sont céphalophores lorsqu'ils portent leur tête après la décollation. Putain, mais c'est le bal des vampires ce soir, disait un des pirates, elle s'était laissé tripoter longuement, sans dire un mot, muette de stupeur, un défilé illustre qui s'agitait devant elle, Blandine, dont le corps portait encore les marques du martyre affreux qu'elle avait subi, et Marie-Madeleine, et Julie, beauté fatale, crucifiée en Corse.

Elle était restée jusqu'au matin, tremblante et au bord de la folie, hagarde, paralysée par une peur affreuse.

Une peur terrible qui n'avait pas de fin, une peur qui remontait d'aussi loin qu'elle pouvait se souvenir, une angoisse sans fond et sans remède, la peur de mourir.

La course à pied

C'était comme si une voix lui avait dit cours, c'est ça la solution, cours mon pote, ça ira mieux demain, qu'ils aillent tous se faire enculer, ce que tu as à faire personne ne peut le faire à ta place.

Et il avait obéi, après trois mois couché dans son lit, à regarder le plafond, l'esprit vide et si fatigué, fatigué comme c'était même pas permis d'imaginer.

Courir demandait un tel sursaut que la première fois, en descendant l'escalier, dans le froid et la nuit, en plus c'était l'hiver, il s'était dit bingo les gars, c'est bon, je laisse tomber.

Mais il avait continué, chaque pas lui coûtant un effort surhumain, un effort gigantesque, avec toujours cet épuisement au fond de lui, treize ans de came, son corps entier comme un vieux truc desséché et vieilli, et la fatigue à en pleurer, cours mon pote, cours, c'est ça la solution.

La rue était presque déserte, juste le camion des poubelles et quelques voitures, il y avait des cas pires que lui, la fille qui avait gagné en 1960 aux jeux Olympiques de Rome, Wilma Rudolph, était poliomyélitique, elle s'était rééduquée petit à petit et à vingt ans c'était la médaille d'or. La pharmacie n'était pas encore ouverte, et de toute façon il n'allait pas craquer, on n'en était plus là, cours, c'est ça qu'il faut faire, exactement comme dans *La Solitude du coureur de fond,* le mec devenait le champion et l'espoir du centre pour délinquants où on l'avait placé, et le jour du concours avec les autres clubs il menait de A à Z, histoire de bien montrer qu'il était le plus fort, et cinq mètres avant la ligne d'arrivée il stoppait net, allez vous faire enculer les mecs.

Bon, dans son cas il n'était question ni de devenir champion ni de foirer avant la fin, il s'agissait juste de décrocher.

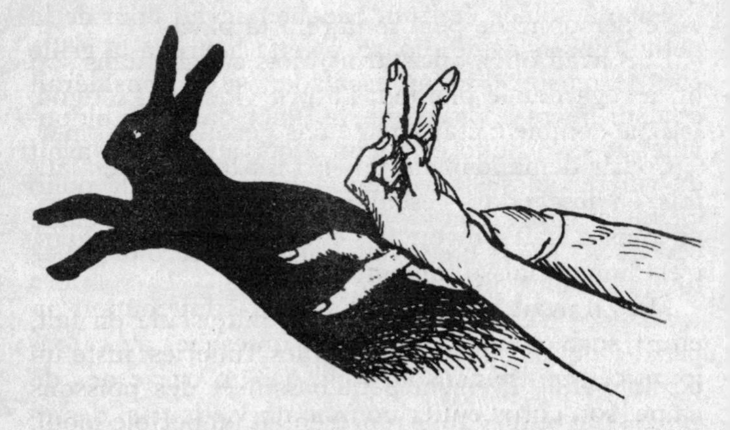

Courir lui demandait un effort surhumain.

Des mecs comme toi, c'est grillé, avait dit le poulet, ça n'arrête jamais. Junk un jour, junk toujours. Et l'autre connard à Marmottan, ça se voit dans tes yeux que tu vas aller acheter en sortant. Même ses potes en étaient sûrs, toi t'en prendras toute ta vie, ça sert à rien de te casser le cul à essayer de stopper, t'es dedans t'en sortiras pas.

Après la pharmacie il y avait le feu rouge et le passage piéton, le bouquet aurait été de se faire écraser, fatigué, si fatigué, un goût de fièvre et envie que tout disparaisse, cours mon gars, cours et t'occupe de rien d'autre, ça finira par aller mieux.

Au début quand on décroche le seul truc à faire c'est de se branler en attendant que ça se passe, c'est ce qu'un vieux lui avait dit en prison il y a longtemps, la fiole c'est de la merde, branle-toi c'est aussi bien, et tape le sport dès que tu te sens un peu mieux, tes endorphines se remettent en route, c'est scientifique.

Chaque foulée était un cauchemar, au bout de la petite rue il y avait le parc, à cette heure-là la grille était fermée et il fallait escalader, si on considérait objectivement le problème, la Black dans son bidonville, avec la polio et aucun atout au départ, avait dû galérer aussi, sacrément galérer même, la polio c'était craignos comme maladie, plus que la came certainement, et elle avait fini médaille d'or, allez tous vous faire niquer, elle avait gagné.

Le parc n'était pas immense, minuscule en fait, pas du tout le Luxembourg ou les Tuileries, juste un jardin public avec un petit bassin et des poissons rouges, en faire le tour représentait un périple inouï. Des tas de feuilles mortes se dégageait une odeur de poussière et de moisi, on voyait des canards sur le bord de la pièce d'eau, heureusement encore qu'il n'avait pas les nazis aux trousses comme dans *Marathon Man*.

La première fois il avait fait trois tours, un cauchemar. Quand ça va un peu mieux tu tapes le sport, vous voulez ma mort les gars, mais le lendemain il avait recommencé, et le jour d'après aussi, tox un jour, tox toujours, je vous emmerde, je vous emmerde tous, et Wilma lui faisait des petits sourires, cours, ne t'occupe pas d'eux, tu as raison, respire bien, bravo, il avait l'impression de peser des tonnes.

Dans *Marathon Man* aussi, Bikila apparaissait pour encourager le héros, pendant la poursuite sur l'autoroute, et Bikila courait pieds nus, merde, s'ils y arrivaient tous, pieds nus, avec la polio, peut-être même encore avec des trucs pires, il n'y avait pas de raison que lui loupe l'affaire.

Le froid était glacial, un mois de novembre avec du brouillard, quand il arrivait au cinquième tour, pour le moment c'était son programme, cinq tours, à cinq tours je suis quitte, en règle, il en faisait encore un sixième, c'est pas plus dur qu'une nuit en manque au dépôt, un sixième tu peux le faire, les doigts dans le nez.

Un fardeau, voilà ce qu'il avait, un fardeau énorme qui l'écrabouillait, une bête immonde en train de mourir à l'intérieur de lui, cours mon pote, même en faisant attention il se tordait la cheville tous les trois mètres, je vais crever là, par terre, à côté du bac à sable et de la balançoire, c'était même pas le mal qu'il avait à respirer, c'était l'ensemble, la stupeur qu'éprouvait son corps, cours mon pote, les gens partaient bosser, encore un tour, un calvaire, c'était le mot juste, un calvaire et une souffrance infinie, je vous emmerde, je vous emmerde tous, ce que j'ai à faire personne ne le fera à ma place.

Après il rentrait en trottinant, doucement, maintenant c'est bon, je vais prendre une douche, bien chaude, avec du savon, sur son passage les mômes se foutaient de sa gueule, regarde la touche qu'il a, il court en bermuda rose et son bonnet est bizarre, on dirait un clochard, mais il n'en avait rien à foutre, il avait décroché.

Le prix de la méchanceté

Ce que l'on pouvait dire, c'est qu'il était sympa. Et gentil. Drôle. Sensible aussi. Un chouette mec. Tous ceux du quatrième étage, l'étage des créatifs, l'appréciaient, et franchement, c'est vrai qu'il était cool, pas con et en plus plutôt bien de sa personne, brun avec des yeux dans les bleu-vert, pas du tout le style créatif chiant grosse tête.

Un type bien.

Avec à son actif des campagnes remarquées.

Contrex, didalabibi, Contrex, Contrex, Minerve d'or en 88 et les poêles Téfal, la R.A.T.P., les sous-vêtements Outre-Mesure, *A la mesure de votre charme,* Minerve d'argent en 92, un grand article dans *Stratégie,* et plusieurs trucs humanitaires, récemment le sida et les préservatifs, *Préservent de tout sauf de l'amour.*

Une vraie réussite. Pas un palmarès de tocard.

Et aujourd'hui le directeur de la création lui proposait une nouvelle série pour une O.N.G., une des plus importantes, gros budget, gros impact, une cause de tout premier plan, la misère et la faim dans un contexte de guerre, il nous faut quelqu'un de sensible, quelqu'un en prise avec son époque mais doté d'une humanité, j'ai pensé à toi, Frédéric, et il avait hoché la tête, modeste et simple sous le compliment, puis la fille avait insisté sur la notion d'efficacité, l'organisation subissait depuis quelque temps la concurrence rude et sévère d'une multitude d'associations, ajoutée à la lassitude du public envers la souffrance et la douleur du monde, la vérité, avait souligné la fille, c'est que plus personne n'en a rien à foutre de personne, et lui avait souri, compréhensif et rassurant. Autre point important, la campagne devait avoir du cœur.

– Du cœur, avait insisté l'homme, qui jusque-là n'avait pas ouvert la bouche, la notion de générosité, d'élan est primordiale.

Et là c'est le directeur de la création qui avait opiné, je crois que justement Frédéric est plutôt la bonne personne.

Dans le métro, le soir, il avait acheté une première fois *Réverbère* et aussi *Macadam* à la station d'après, luttons tous contre les exclusions et les inégalités, en laissant trente francs, une campagne humaine. Touchante. Avec du cœur.

Chez lui il avait commencé à réfléchir, et comme Ferré passait à la radio,

Est-ce ainsi que les hommes vivent ?
Et leurs baisers au loin les suivent...

Il s'était dit oui, pourquoi pas une accroche en alexandrins, un alexandrin finement ciselé. *Sachons trouver les clés de notre cœur,* ou plus pointu, *Sachons ouvrir les portes de notre cœur,* ce qui ne faisait pas vraiment les douze pieds réglementaires mais, après tout, l'important était de se rapprocher de la phrase choc, chaque fois il aimait l'instant enivrant où son esprit vagabondait, abeille fertile et butinante, jusqu'à l'annonce fatale, s'imposant d'elle-même, quelques mots d'une justesse parfaite, *Les chaussettes ne se cachent plus, Il faut du temps pour les bonnes choses, Il faudrait être fou pour dépenser plus,* au cœur de l'idée, la phrase choc et percutante qui faisait mouche.

Les portes de notre cœur.

A la réflexion, il n'était pas trop certain de l'alexandrin. La bande dessinée était peut-être une meilleure piste. Superman. Superman, champion de l'humanitaire, contre Superméchant, le pingre avare et fauteur de troubles. *Chassez le Superméchant qui est en vous.* Avant de s'endormir il avait pris son petit carnet, le noir en cuir avec un dos toilé, son petit carnet où il notait ses idées de chansons et de romans.

Tu as su trouver
Les portes de mon cœur
Je saurai te donner
Lumière et chaleur.

Une campagne avec du cœur, au moins ça changerait des lessives et des produits débiles.

Le lendemain, il avait recopié le poème sur son portable et l'avait imprimé, depuis un moment il attendait une occasion pour faire un petit test, il avait un faible pour une des commerciales de l'agence, et vraisemblablement il aurait pu la baiser assez facilement, mais envoyer un poème, mon Dieu, existait-il quelque chose de plus romantique.

Je saurai te donner
Lumière et chaleur.

C'était forcé qu'elle craque, il avait collé une étiquette sur l'enveloppe, là aussi tapée à l'ordinateur, pour le moment autant la laisser dans le doute, un admirateur anonyme, ah, ah.

A l'agence c'était l'effervescence, un gros problème sur un film et une série de visuels que le B.V.P. venait de refuser, il s'était enfermé dans son bureau et s'était mis au travail.

L'organisation humanitaire existait depuis 1975 et avait grossi au fil des ans pour devenir l'énorme machine présente dans le monde entier qu'il fallait aujourd'hui promouvoir. Le récent conflit africain, où l'organisation avait été vivement critiquée, ajouté au scandale d'un délégué photographié dans une BMW rutilante, deux putes à ses côtés, dans une capitale du tiers-monde, avait amoindri le crédit dont jouissait l'association.

Superméchant.

La force du cœur.

Non, mieux encore, *Le Rayon Cœur. Superman et le Rayon Cœur.*

Contre Superméchant.

Créé au départ par une poignée d'idéalistes issus du gauchisme et de Mai 68, le système fonctionnait maintenant comme une entreprise aux rouages bien huilés, des crédits importants, trois cent cinquante permanents aux quatre coins de la planète et une présence active sur tous les fronts de la misère.

Vers midi il avait croisé la commerciale, en tailleur marine, vraiment craquante, et il avait imaginé sa tête, son sourire, quand elle recevrait le poème.

A une heure il était descendu déjeuner, avec le directeur artistique et les autres créatifs, le refus du B.V.P. était une vraie catastrophe et pendant tout le repas ce fut le sujet numéro un, aurait-on pu éviter ce problème et le T.V. producer en charge de l'affaire avec le responsable client n'avait-il pas été un peu léger ? Quand on lui avait demandé son avis il s'était contenté de hocher la tête, oui, bien sûr, certainement, tandis qu'une pensée saugrenue lui traversait l'esprit, **bande de cons, bande de gros cons, j'ai envie de vous tuer,** alors qu'il était en train de sourire, oui, bien sûr, certainement, des gros cons, des sales gros cons, il avait bu son café et tout le monde était remonté, allez les gars, au boulot.

Dans le hall il y avait un nouveau standardiste, à la place de la fille habituelle en minijupe, et renseignements pris il s'agissait du fils d'un ami du patron, évidemment, un petit job provisoire, il peint, alors tu comprends, la peinture en ce moment... A bien étudier la question il n'était plus très sûr de Superman, les superhéros avaient été utilisés à toutes les sauces depuis leur création et ça risquait de faire un peu déjà-vu.

Du cœur.

Une campagne proche du cœur.

Un de ses livres de chevet du moment était Freud, qu'il avait redécouvert avec *Abrégé de psychanalyse,* le ça, le surmoi, la libido et la pulsion de mort comme deux conducteurs d'une même énergie, le plus et le moins, rassemblés au sein d'un système commun, **bande de gros cons, de sales gros cons, j'ai envie de vous tuer,** il s'était demandé de quelle profondeur de lui-même ce genre de pensées surgissaient.

Où vas-tu gentille Marie ?
Où cours-tu ?
Dans l'obscurité
D'une nuit sans étoiles.

Où vas-tu Marie, Marie ?

Son problème c'est qu'il chantait comme un pied. Mais il écrivait bien. Une plume. Avec un sens certain du verbe et du rythme. A seize heures, il s'autorisa une petite sortie jusqu'à la boîte aux lettres, après le poème il était presque sûr qu'elle apprécierait la chanson. *Où vas-tu gentille Marie,* elle allait faire le rapprochement, peu de gens dans l'agence étaient susceptibles d'un tel geste.

C'est le lendemain, dans le métro, à l'instant précis où le gars de *Réverbère* commençait son discours, je ne demande pas l'aumône, je vous propose ce journal qui me permet de subvenir à mes besoins, que l'idée lui était apparue, magnifique, CHACUN EST RESPONSABLE DE TOUT DEVANT TOUT LE MONDE, une phrase de Dostoïevski qu'il avait eue au bac, la phrase fatale, et par-dessus le marché libre de droits, Dostoïevski était mort et enterré depuis belle lurette, CHACUN EST RESPONSABLE DE TOUT DEVANT TOUT LE MONDE, en blanc, sur fond noir, avec les coordonnées de l'association, C.C.P. 4 000, Paris.

– Ça cogite ? lui avait demandé le directeur de la création, tout se passe bien ?

Et il avait répondu d'ici la fin de la semaine je crois qu'on pourra voir quelque chose, j'ai plusieurs pistes possibles, je pense que ça devrait coller. La commerciale avait dû recevoir la première lettre, *Je te donnerai lumière et chaleur,* il s'était arrangé pour passer devant son bureau mais elle était au téléphone et il était monté au quatrième étage, l'esprit occupé par la guerre en Afrique et l'association, CHACUN EST RESPONSABLE DE TOUT DEVANT TOUT LE MONDE, c'était ça, exactement ça.

Dans l'après-midi le directeur artistique avait appelé du siège de l'association, il était à la photothèque, et vraiment, tu vas voir, c'est inouï, un cadeau du ciel, tu vas pas en revenir, attention les yeux, avant même qu'il ait eu le temps de lui parler de son idée, l'autre avait déjà raccroché, bouge pas, j'arrive, et maintenant il sortait des tirages couleur de son carton à dessin, une femme noire maigre à faire peur, un squelette, avant, mon pote, avant, et la même, épanouie et ravie, belle et pleine de vie, après, mon pote, trois mois après. Incroyable, non ? Et il avait dit mince, t'as raison, c'est génial, CHACUN EST RESPONSABLE DE TOUT DEVANT TOUT LE MONDE. Un photographe avait shooté Aicha à son arrivée au centre de soins, un cadavre, et un peu plus tard, à sa visite suivante, il avait retrouvé la fille tirée d'affaire, une réussite spectaculaire, il l'avait rephotographiée.

AVANT.

ET APRÈS.

– Pas mal, il avait approuvé, pas mal du tout.

Freud avançait trois observations concernant la vie sexuelle de l'homme : *a) la vie sexuelle ne commence pas à la puberté, mais se manifeste très tôt après la naissance ; b) il convient de distinguer avec précision les concepts de « sexuel » et de « génital ». Le mot « sexuel » a un sens bien plus étendu et embrasse nombre d'activités sans rapport avec les organes génitaux ; c) la vie sexuelle comprend la fonc-*

tion qui consiste à obtenir du plaisir à partir de diverses zones du corps. Cette fonction sera mise après coup au service de la reproduction. Toutefois, les deux fonctions sont loin de coïncider toujours totalement.

Des chiens galeux. Connards et ordures. J'ai envie de te crever les yeux.

C'est tout juste s'il entendait l'autre poursuivre, écoute ça, *Certains disent que l'humanitaire ne sert à rien, demandez à cette femme ce qu'elle en pense,* tu nous trouves une petite formule dans le ton et on est bons, je suis sûr qu'on est bons, on cartonne.

Je te hais. Tu as une gueule de pédé. Je suis sûr que t'es un pédé.

Et il avait dit je crois que c'est pas con, effectivement on tient quelque chose.

Le soir il y avait une bamboula organisée par l'association humanitaire, dans une boîte du Marais, toute l'agence était invitée et il y était allé, bien sûr, soirée mambo, l'association fêtait un anniversaire, il n'avait pas très bien compris lequel, il y avait un orchestre sud-américain et la commerciale était là, mambo, toujours pas de nouvelles de son poème, quand il avait voulu se rapprocher d'elle et papoter un peu, ça va, bonne journée, quoi de neuf, la fille de l'association l'avait accroché, c'est formidable votre idée, vraiment génial, c'est exactement ce qu'il faut, bravo.

Un peu plus tard la fête battait son plein et il avait essayé de danser, partout des corps souples et ondulants, et lui au milieu, raide et mal à l'aise, alors que merde, d'habitude c'était loin d'être le dernier pour la nouba, la danse, la danse, regarde c'est à trois temps, tu fais comme ça, c'était une autre fille du commercial, pas sa commerciale mais une autre, une moche, un peu grosse, et mon Dieu la salope se débrouillait plutôt, en tout cas en rythme, un, deux, trois, un, deux, trois, et sa commerciale aussi, plus loin, hallucination complète, avec le standardiste, le nouveau, samba à fond, enculé, je vais te crever les yeux, l'orchestre avait fendu la foule en continuant à jouer et les danseurs avaient tapé dans leurs mains, déchaînés et en cadence, sauf lui, paralysé, tout le monde me regarde, il avait fini par battre en retraite et se réfugier au bar, où quelqu'un l'avait encore félicité pour son idée, vraiment super le coup des deux photos, avant et après. Génial.

Super-génial.

AVANT.

ET APRÈS.

J'ai envie de prendre une mitraillette et de faire de la charpie avec vos sales gueules. Il était rentré se coucher.

De cette partie d'inconscient qui passe si facilement de l'état inconscient à l'état conscient, nous dirons qu'elle est capable de devenir consciente et nous lui donnerons le nom de préconscient.

Pour le petit déjeuner il avait l'habitude d'aller acheter son jambon chez une petite dame trois rues plus loin, la qualité du jambon était correcte, pas luisant, bien maigre, au torchon, délicieux avec des œufs frais, qu'il achetait également sur place. La vieille était sympa et c'était un plaisir de lui donner un coup de main, fidèle client, soutenons nos petits commerçants, mais au moment de payer il s'était aperçu, merde, chiotte, excusez-moi, je suis désolé, j'ai oublié mon porte-monnaie, persuadé qu'elle allait proposer qu'il paie demain, bien sûr, gentil monsieur, évidemment, seulement **la pute** le regardait avec des yeux en bille de loto, ah non, je suis désolée, je ne fais pas crédit, c'est marqué monsieur, impossible, pas de crédit. Pas de crédit. Il avait bredouillé pardon, qu'est-ce que vous dites, mais je vous achète du jambon tous les matins depuis trois ans, je viens exprès depuis chez moi, désolée monsieur, ce n'est pas possible, n'insistez pas. **La pute. La vieille pute.** Il avait beau chercher, il n'avait pas souvenir d'avoir essuyé pareil camouflet. Il était repassé chez lui, sonné, hébété comme un boxeur après le K.-O.

Deux tranches de jambon.

Et six œufs.

Vingt et un francs quatre-vingts.

Au moment où il engageait la clé dans la serrure, une voix familière l'avait interpellé, comment allez-vous, vous vous rappelez de ce dont je vous ai parlé le mois dernier, mes petits protégés seront là le week-end prochain, je peux toujours compter sur vous ?

– Pardon, il avait fait, pardon, pardon ?

– Taizé, le rassemblement de Taizé, vous vous rappelez, vous m'aviez promis d'héberger trois personnes.

Pardon, il avait refait, cette fois-ci très au fait de la question, un rassemblement sans précédent, un mètre carré, un tout petit mètre carré, ils ont leur duvet et sont d'une discrétion, et propres, ils vont être des milliers, vous savez, des dizaines de milliers, et il avait répondu machinalement, bien sûr, que dire d'autre, mais bien sûr, évidemment, quelques mètres carrés, penser à faire exécuter toutes les voisines catholiques dès mon accession au pouvoir, et quand arrivent-ils exactement, mon Dieu en plus il y avait le réveillon, trois ados chrétiens couverts de boutons le soir du 1er janvier. La sale blague. La très sale blague.

En partant au boulot il était tombé sur le mec de *Réverbère* et il l'avait trouvé ignoble. **Repoussant.** Le mec était archi-défoncé à dix heures du matin, avec de la bave à moitié séchée à la commissure des lèvres et il avait eu envie de le tuer. Physiquement. Une envie énorme. Faire disparaître ce déchet une fois pour toutes.

Taizé.

Deux tranches de jambon.

Et six œufs.

– Ça va ? lui avait demandé le standardiste. Bien dormi après la fiesta ?

Et il avait répondu en souriant, au poil, un vrai loir, rien de tel qu'un peu de salsa et de mambo pour roupiller comme un bébé, ha, ha.

Dans le bureau, le directeur artistique avait préparé les tirages agrandis, Aicha, elle s'appelle Aicha, et il avait pensé mais qu'est-ce que j'en ai à foutre de **cette conne,** tandis que le directeur artistique lui disait c'est bon ! Tu as pensé à l'accroche ? Il avait tergiversé et au final c'est la phrase du début qu'ils avaient marquée, *Certains disent que l'humanitaire ne sert à rien, demandez à cette femme ce qu'elle en pense,* et on pourra doubler la campagne avec des retombées presse, qui est Aicha, une interview du photographe, je vois très bien le truc, mais **faites taire ce con,** qu'il se taise mon Dieu, ils avaient un projet de court métrage ensemble, *La Sieste et les Bandonéons,* plus ou moins inspiré d'Almodovar, enfin, une sorte d'Almodovar version Paris, et il s'était dit mais comment j'ai pu m'engager avec un **crétin** pareil, c'est pas possible.

Ensuite il y avait eu la réunion avec le directeur de création, en interne, avant celle de l'après-midi, définitive, en présence des clients, et là le directeur de création avait dit maintenant il nous faut au moins une autre proposition, ils vont marcher pour Aicha mais une seule idée ce n'est pas assez, et lui avait proposé CHACUN EST RESPONSABLE DE TOUT DEVANT TOUT LE MONDE, et ces enculés, **ordures, ordures, ordures,** avaient carrément pouffé, excellent, Frédéric, excellent, avec celle-là on est sûrs qu'il n'y aura pas d'ambiguïté, ouarf, ouarf, et il avait ri aussi, ha, ha, mais ne voyez-vous pas que **je vous hais** ?

La réunion avait lieu dans les bureaux de l'association, à Bastille, et il y avait été avec la commerciale, dans sa voiture, maintenant il se sentait un peu mal à l'aise avec cette histoire de poème, sans trop savoir comment mettre le sujet sur le tapis, mais c'est elle qui en avait parlé, tu sais, c'est bizarre, je crois que le standardiste m'envoie des lettres. Le standardiste ? Tu es sûre ? Elle hochait la tête, regarde, c'est vraiment étrange, comment tu trouves ça, c'est un peu ridicule, non ? Qu'est-ce que t'en penses ? Elle trouvait ça puéril, enfantin, vraiment, et il avait risqué, oui, grotesque, et elle avait approuvé sans vergogne, *Je saurai te donner lumière et chaleur,* elle se marrait franchement, non mais je te jure, remarque il est mignon, c'est déjà ça. **La pute. La grosse pute infecte.**

Pendant toute la réunion il repensait à ça, quelle conne, mais quelle conne, le directeur de création enfonçait le clou, voici deux propositions, les cartons à dessin ouverts sur la grande table, *Je saurai te donner lumière et chaleur* ; en voyant la phrase de

Dostoïevski les gens de l'association avaient rigolé, bon, eh bien on dirait que le choix ne va pas être trop compliqué.

AVANT.

ET APRÈS.

Le soir, en reprenant le métro, un type qui faisait la manche était monté à Réaumur et avait retrouvé un de ses copains, assis à côté, il avait écouté leur discussion, combien ils avaient acheté au dealer et les journées qu'ils se faisaient, en ce moment je tourne à six, sept cents balles en quatre heures de temps, il avait fini par se lever et descendre, CHACUN EST RESPONSABLE DE TOUT DEVANT TOUT LE MONDE, il se voyait avec une mitraillette, arrosant les gens, les cadavres sur son passage, le sang qui giclait et les cris, une vision d'une netteté parfaite, presque réelle.

– Ça ne va pas ? avait demandé une dame. Vous ne vous sentez pas bien ?

Il avait dégueulé sur les rails tout son déjeuner, et aussi le café et le jus d'orange bu pendant la réunion, en s'en foutant partout sur le devant de son manteau, à l'autre bout du quai une fille magnifique le regardait, vaguement gênée, avec un air de dégoût.

Il y aura des jours
Et il y aura des nuits
Que nous passerons
Tendrement.

La pute.
La pute.
La pute.

Chez lui, la voisine devait le guetter parce que dès

qu'il avait refermé sa porte elle avait sonné, dring, une fois, et comme il mettait du temps à ouvrir, dring, dring, une deuxième fois, bonjooooour, version désagréable de la Castafiore et de Séraphin Lampion, ils arrivent mardi, je vous en ai préparé trois, vous verrez, ils sont charmants. Son manteau sentait le vomi et il avait pensé, à la façon d'un sketch publicitaire, MAIS COMMENT MADAME, ON NE VOUS A PAS AVERTIE, ON NE VOUS A PAS PRÉVENUE, VOUS N'ÊTES PAS AU COURANT QU'IL EST MORT, QUE DIEU EST MORT ? Et, face à cette affreuse traîtrise du sort, mais qui ? mais qui ? Mais Dieu, madame, le vioque a claboté, elle s'évanouissait, AH, AH, LAISSEZ-MOI DONC VOUS ANNONCER UNE TRISTE NOUVELLE.

– Parfait. Impeccable. Je les recevrai bien volontiers. Merci. Merci.

Merci, **maintenant vas-tu déguerpir, grosse salope.** Il allait devoir porter le manteau chez le teinturier. DIEU EST MORT. Sitôt la vieille disparue, il s'était rué sur son portable, il y avait une fille au service production, d'ailleurs très copine avec la commerciale, qui s'appelait Barbarella, Seigneur, quel nom ! et il avait remarqué qu'elle disparaissait tout le temps aux chiottes, avec des nausées, constamment à parler de gastro-entérite, à faire des allusions sur le côté sale et lubrique d'un tel ou d'une telle, une bouche à pipes, beurk, quelle horreur, et tu as vu, on voit ses crottes de nez, haaaarrr, beeeu, elle avait un problème avec le sexe, c'était net, clair, et sans appel.

PERSONNE N'A ENVIE DE BAISER BARBARELLA, ELLE SENT LE VOMI.

Imprimé en majuscules, corps vingt-quatre, prends-moi ça dans les dents.

Il n'y aura pas d'ambiguïté.

En postant la lettre, il jubilait tout seul.

Il aurait peut-être pu rajouter QUEL DOMMAGE après Barbarella. PERSONNE N'A ENVIE DE BAISER BARBARELLA, QUEL DOMMAGE, ELLE SENT LE VOMI.

Un pro, ha, ha. Un pro de la formule.

SÉQUENCE UN. Int. jour.

L'homme joue du bandonéon. Il propose à la femme de faire une sieste. On voit leurs lèvres bouger mais à la manière d'un film muet, sans entendre le dialogue.

Carton : « On fait une sieste ? »

C'était à peine croyable. A peine croyable. Comment avait-il pu écrire une merde pareille, à la limite du ridicule ? Tout s'emmêlait, la charcutière et la voisine, le scénario débile, la sieste, les bandonéons et la pute, sois maudite entre toutes, **j'ai envie de vous tuer,** comme un torrent de fiel et de colère irriguant brusquement le moindre atome de son corps. Un mec gentil. Et sympa. Cool aussi. DIEU EST MORT ET J'AI ENVIE DE VOUS CREVER.

Le sport allait le calmer, il avait besoin de se dépenser, ni plus ni moins, et tout rentrerait dans l'ordre. Et effectivement, après une heure de squash ça allait déjà nettement mieux, transpiration à fond et une bonne douche, mec c'est ça le secret du bien-être. Le lendemain il était parti bosser en sifflotant.

La semaine s'était terminée tranquillement, Barbarella avait reçu son petit envoi, comme une lettre à la poste, ah, ah, et, coup de chance, il avait pu assister en direct à l'effet produit, elle était devenue toute rouge, décomposée, réellement décomposée, grosse vache, grosse vache coincée, sa bouche s'ouvrait et se refermait dans le vide, c'est dingue, c'est dingue, on m'envoie des lettres anonymes.

Une réussite totale.

Pan dans le mille.

Pan dans le mille Barbarella.

A chacun son slogan, à chacun sa petite phrase.

Indubitablement son caractère était en train de s'aigrir.

La campagne AVANT-APRÈS était définitivement acceptée, quelqu'un l'avait encore félicité dans le couloir, génial ton truc pour l'humanitaire, et en fin d'après-midi il y avait eu le pot de Noël, tout le monde décompressant et champagne, champagne. Il y avait un cercle autour du standardiste qui racontait des histoires drôles et il s'était penché à l'oreille de la fille de la production, Barbarella, ça va, tout va bien, en insistant à fond, ta gastro-entérite va mieux, et elle l'avait regardé, avec des yeux malades d'angoisse, oui, pas de problème, je te remercie. TU SENS LE VOMI, BARBARELLA, BEAUCOUP DE GENS TROUVENT QUE TU AS MAUVAISE HALEINE, ce qui était vrai, elle avait toujours une vague odeur de rance, il n'avait pas pu attendre, il était monté à son bureau, l'étage était désert, taper sa nouvelle accroche, phase deux de la campagne Barbarella.

Bande de cons.

Bande de pauvres cons.

Dans la foulée il s'était autorisé la charcutière, MICROBES ET BACTÉRIES, LE SERVICE DE RÉPRESSION DES PRODUITS DE MAUVAISE QUALITÉ VOUS SOUHAITE UN JOYEUX NOËL, à la tienne, vieille grippe-sou, passe un bon réveillon, et aussi sa voisine, J'AI UNE TRÈS MAUVAISE NOUVELLE À VOUS ANNONCER, suite au prochain épisode, **connasse.**

Il s'était fait coincer par le chauffeur-homme à tout faire de l'agence, ses petits messages à la main, et pendant que l'autre lui racontait une blague, c'est un vieux cochon dans un bar qui voit une super-gonzesse, il pensait mon Dieu, Seigneur, les pauvres gens, les malheureux, le super-cochon met la main à la chatte de la fille, vous voulez baiser, d'accord, et la fille, gauche, droite, gauche, droite, lui pète la gueule à fond, tiens, pif, paf, prends-toi ça enculé, elle l'explose, et à la fin le mec se relève, la regarde, et lui dit : « Et je suppose que vous ne sucez pas non plus ? »

– Ha, ha, elle est super !

– Elle est bonne, hein ?

Les malheureux.

Dans le hall de son immeuble, bien visible, collé sur sa boîte aux lettres, un Post-It fluorescent lui signalait que oui, enfin, les jeunes de Taizé étaient arrivés et l'attendaient chez la voisine.

C'était pire que ce qu'il avait imaginé, un boutonneux, conforme aux pronostics les plus noirs, accompagné de deux boudins, et, détail aggravant, débarquant d'un pays de l'Est.

– Eh bien, je vous laisse, avait dit la voisine, passez un bon Noël. Vous verrez, ils sont plus discrets qu'une souris.

Un bon Noël
Une mitraillette
Et du cyanure
J'incendierai
Vos maisons
Et couvrirai d'ordures
Les corps meurtris
De vos femmes
Et de vos enfants
Je vous hais.

Malgré tout il se sentait en grande forme, les trois abrutis étaient restés dans la cuisine, hallucination persistante et incongrue dans son appartement, jurant avec les murs blancs et les quelques éléments de décor judicieusement choisis, Dieu merci il y avait une pièce au fond, une chambre d'ami qui lui servait plus ou moins d'atelier, et il les avait collés là, un mètre carré chacun, ah, ah, les deux filles étaient imbaisables, franchement imbaisables, et après leur avoir souhaité un joyeux Noël il était retourné vaquer à ses occupations, ce soir il avait du pain sur la planche.

Quoi de plus agréable qu'un Noël peinard, avec

une bouteille de champagne, son agenda électronique et le téléphone, les numéros les uns après les autres, une fois, le bruit de la respiration et raccrocher, deux fois, trois fois, en général après les gens cessaient de répondre. Chez la commerciale il y avait le répondeur, bonjour, je ne suis pas là mais vous pouvez me laisser un message, il avait articulé silencieusement TU N'ES QU'UNE PUTE UNE PUTE UNE PUTE, avant de raccrocher, et de refaire le numéro, un autre, allez, c'est Noël, des craquements, des raclements de gorge, une fois, deux fois, à la fin il y avait peut-être dix messages plus ou moins muets inscrits sur le compteur, au retour du réveillon, dix messages du maniaque qui te poursuit, ma chérie. Joyeux Noël.

Et toi, Barbarella, es-tu là mon amour ?

C'est elle qui avait décroché, il devait y avoir des invités, la famille, peut-être sa sœur, parce qu'on entendait des bruits derrière.

– Allô, j'écoute, allô...

Il avait sorti sa bite, oh Barbarella, oh, oh, toujours en silence, en se tripotant vaguement. Joyeux Noël, il avait croassé, impossible qu'elle le reconnaisse, **la pipe, la pipe Barbarella,** elle n'arrivait même pas à le faire bander, grosse vache. Hum, avait fait quelqu'un derrière lui, hum, il s'était retourné, pétrifié, le zob toujours à moitié en l'air, le petit con était sorti de la chambre et lui demandait où étaient les toilettes, les pipites, s'il vous plaît, les pipites.

– Elles sont au fond, en face de ta chambre, les pipites sont là, oui, voilà.

Il pouvait les empoisonner. Ou les asphyxier.

Drame de la foi. Le réveillon des enfants de Taizé tourne au drame.

Pour finir il les avait quand même accompagnés à l'église, les organisateurs avaient prévu moult messes et débats, en plus du grand show à la porte de Versailles, et ma foi, ah, ah, c'était ridicule, simplement ridicule, tous ces demi-hippies, polonais, tchèques, allemands, avec leur look incomparable, le petit imper bas de gamme et le jean, Seigneur le jean, quel malheur, le soir du petit Jésus, et le cureton y allait de son speech débile, Taizé, la foi, nous tous ici, frères en Jésus-Christ, allô Barbarella, dis-moi t'as mangé de l'ail, c'est ça, tu pues, Barbarella, tu refoules du goulot, ouarf, ouarf, ils s'étaient tous mis à chanter, les siens aussi, avec leurs petits papiers en langues multiples distribués par les sbires bénévoles.

Bleibet hier, il avait hurlé aussi, à plaisir, *bleibet hier,* d'une voix de stentor si fort que les autres avaient fini par se retourner, *bleibet hier,* avec un maximum d'accent parisien, *bleibet hier,* allez tous vous faire enculer, je ne vous en voudrais pas.

Les pauvres.

Les malheureux.

Vous dansez autour d'un cadavre et vous ne le savez même pas.

La mort de Dieu.

Son agonie.

Et Sa disparition complète.

Le Grand Jardinier est parti se coucher.

Bonne nuit, Pimprenelle,

Bonne nuit, Nicolas.

La nuit, il avait attendu que les crétins s'endorment et dans le noir il s'était masturbé derrière la porte de la chambre, **j'ai envie de te fourrer, Barbarella, j'ai envie de te fourrer profond,** Dieu est mort, non, autant en profiter.

Il avait passé son jour de Noël à confectionner de nouveaux envois. Une vaste campagne, d'envergure nationale.

Ajustée à sa cible. Il était allé jusqu'à la poste du Louvre pour être sûr qu'ils partent le jour même. Le jour de Noël.

La semaine s'était passée impec. La moitié des gens de l'agence étaient en vacances et les autres accaparés par les lettres anonymes, on ne parlait que de ça, tant et si bien qu'il avait dû se fendre d'une petite justification, ah, je vois que vous aussi vous avez eu affaire à notre plaisantin, en exhibant sa lettre, LE PRIX GONCOURT OU LA LESSIVE, IL FAUT CHOISIR, très mauvais, et n'importe qui d'un peu perspicace aurait tout de suite compris que c'était le seul message injustifié, relisez *Les Dix Petits Nègres*, les gars, vous verrez que seul le juge n'est pas coupable, mais aucun danger de se voir soupçonné, ça ne collait pas avec son personnage, et ils étaient trop bêtes, trop crétins pour deviner quoi que ce soit.

– A mon avis, c'est quelqu'un de l'agence, il avait glissé à Barbarella. Quelqu'un d'entre nous.

Et elle l'avait regardé en plissant les yeux, figure-toi que ça m'avait quand même traversé l'esprit. La conne se **rebiffe**. Tu **pues**, Barbarella. Ton haleine **empeste**.

Le mercredi soir, trois jours avant le réveillon du 31, il avait retéléphoné chez la commerciale, d'abord c'est elle qui avait répondu, allô, oui, et il avait grogné, groin, groin, bonsoir c'est **monsieur Sanglier**, avant qu'elle ne raccroche, visiblement excédée, il avait recommencé tout de suite, pour avoir le répondeur, groin, groin, c'est encore monsieur Sanglier, mais quelqu'un avait pris la ligne, et ô surprise, ô petite cachottière, c'était le standardiste, le standardiste qui jouait à l'homme, écoute-moi bien, pauvre minable, je suis en train de baiser avec Carole, alors maintenant, arrête de nous faire chier, d'accord ? Il en était resté saisi. **La pute. La sale pute.** Il avait encore essayé de rappeler, on va voir ce qu'on va voir, mais c'était occupé, ils avaient dû décrocher.

Une étude des états normaux, stables, dans lesquels les frontières du moi bien établies, contre le ça, par des résistances (contre-investissements), demeurent immuables, et où le surmoi ne saurait être différencié du moi parce que tous deux fonctionnent en accord, cette étude, dis-je, ne nous apprendrait pas grand-chose.

Il avait bouquiné Freud tranquillement, avant de s'endormir, ce mec était un génie. Un pur génie. D'une limpidité, d'une évidence, un rayon de lumière dans un siècle d'obscurantisme. Un temps, il avait caressé l'idée de démarrer une analyse, mais le moment n'était pas encore venu, à chaque jour suffit sa peine, et il avait sombré dans le sommeil. *L'étude du rêve nous offre un excellent exemple de la façon dont un matériel inconscient du ça, originaire et refoulé, s'impose au moi, devient préconscient, puis, par suite de l'opposition du moi, subit les modifications que nous avons appelées déformations du rêve.*

Il rêvait qu'il enculait Barbarella. Qu'il l'enculait et qu'elle avait du plaisir, en criant. Après, sa bite était pleine de merde.

Le matin, juste avant de partir, la concierge était venue lui porter un paquet, bonne année, monsieur, hein, bonne année, il avait souri, oui, bonne année, bien sûr, JE NE TE DONNERAI PAS D'ÉTRENNES, VIEILLE BIQUE PUANTE.

Il en avait du mal à parler, des veaux, des veaux abrutis, **laisse-moi juste t'arracher les yeux avec mes ongles, morue, salope,** le paquet contenait son dernier manuscrit, avec un petit mot, ne rentre malheureusement pas dans le cadre de nos collections, que faire face à la bêtise et à la stupidité ?

Le jour du réveillon du 1er , il y avait eu de nouveau un pot à l'agence, bisous et bonne année, et par inadvertance il avait surpris une conversation, apparemment le concernant, entre la commerciale et un des patrons, oui, tu sais, il a dû péter les plombs, dérailler complètement, c'est peut-être une maladie, en tout cas il a disjoncté, c'est sûr, continuez les chéris, continuez monsieur Sanglier pense à vous tous les jours, ah, ah.

Il était rentré retrouver ses petits camarades, ses petits compagnons de Taizé.

A force c'en était presque charmant, cette présence discrète et bredouillante, dans une langue incompréhensible, alléluia, et les pipites, manger, onrg, onrg, il les soupçonnait d'aller s'empiffrer au Mac Do, quand il les avait déposés porte de Versailles, la grosse lui avait dit à tout à l'heure, souriante, et il l'avait embrassée, smack, petite pute, smack, smack.

Son projet pour la soirée était des plus simples, une radio organisait une fête, la méga-bamboula branchée, et il était plus ou moins question d'y retrouver quelques amis, des journalistes, un présentateur de Canal Plus et des acteurs, un réveillon en douceur, jusqu'à minuit, et après pourquoi ne pas se dénicher une fille et finir la nuit tranquille, repos mérité, un soir de réveillon, avec toutes les petites salopes qui devaient traîner là-bas, ça ne devait pas être bien compliqué de trouver à baiser, ah, ah.

La foule serpentait à travers un réseau serré de barrières métalliques, les invités à gauche, V.I.P. les amis, et les entrées payantes à droite, tous les trois mètres un service d'ordre impressionnant, maîtres-chiens et costauds en tout genre, bonne année, charmants garçons, bonne année, les groupes de jeunes et des petits voyous de banlieue, mon Dieu mais les allures qu'ils ont, les casquettes et les coupes de cheveux, rasés sur le côté, Arabes et Noirs, allez-y les gars, à fond, et juste à cet instant une bousculade avait éclaté devant, un Noir, justement, enculé, enculé, contre un balèze de la sécurité, noir aussi, l'agresseur avait donné un coup, pang, bien appuyé, et l'autre, presque sans même ciller, lui avait pété la gueule en deux temps trois mouvements, avant d'appeler au talkie, Socrate pour le réseau, j'ai un problème avec un emmerdeur au contrôle quatre, l'emmerdeur gisait en maugréant à moitié affalé sur les barrières, bonne année les gars, bonne année, et il avait pensé je suis **l'esprit du mal,** ah, ah, le vrai, **le seul esprit du mal,** comme Rastapopoulos dans *Vol 714 pour Sydney*.

Ses amis étaient attablés dans le pavillon spécial, un peu à l'écart, avec buffet spécial, du requin, du buffle de Birmanie et de l'autruche, le présentateur de Canal Plus l'avait appelé, Frédéric, et ils s'étaient fait la bise, chaleureux et complices, t'as vu la catastrophe, ouais, t'as raison, ça craint, quand je suis arrivé la sécurité était en train de tabasser un pauvre type, mauvaise ambiance.

Il y avait une actrice comique, quelques journalistes, un musicien, et deux autres mecs non identifiés, la musique couvrait en partie les discussions et ils étaient restés à regarder les filles passer, jusqu'à ce qu'un des journalistes dise t'as déjà baisé un boudin, toi, et que la conversation s'oriente sur les possibilités des moches et des laides, et une grosse, t'as déjà baisé une grosse au moins ?

– Non, avait répondu Frédéric, jamais. Une grosse, jamais.

DIEU EST MORT MAINTENANT J'EN SUIS CERTAIN.

– Moi non plus, avait dit le mec de Canal, une grosse j'ai jamais pu.

ON EST TOUS LÀ COMME DES CONS ALORS QU'IL S'EST FAIT LA MALLE DEPUIS BELLE LURETTE.

L'autre secouait la tête, surpris, merde, vous avez jamais baisé de grosse, mais c'est une faute, une faute professionnelle. L'actrice comique avait tendu l'oreille, qu'est-ce que tu dis, Paul, et il avait continué, un boudin, chérie, je parle de baiser un boudin, et l'actrice comique avait rigolé, ah oui, bien sûr.

MAIS JE SAIS OÙ EST SA TOMBE.

A onze heures il avait dit je reviens, je vais voir un truc, et il s'était sauvé, au pas de course, avec l'envie de vomir, comme dans le métro la dernière fois, adossés contre un arbre deux jeunes baisaient, des Arabes, la fille avait remonté sa jupe et rigolait, la nausée l'avait saisi un peu avant la sortie et il s'était mis à dégueuler, plié en deux derrière une voiture, avec le bruit du reggae en arrière-fond et les couples pressés qui se dirigeaient vers le chapiteau.

ELLE GÎT, NON LOIN D'ICI.

L'orage avait fini par se calmer et il était reparti par le périphérique, la capitale en instance de nouvelle année, les femmes en robe de soirée dans les voitures et les enfants encore debout. Il avait bu un peu d'eau à la bouteille d'Evian rangée dans le vide-poches.

DANS UN ENDROIT SECRET.

Il avait repéré une publicité dans *Pariscope*, « Sauna-Club échangiste, t.l.j. de 12 h à 2 h, mixte, femmes invitées, hommes seuls acceptés ».

Folie.

Folie.

Folie.

C'était marqué Institut Courcelles, avec une lumière rouge, bien sûr, à quoi ressemble un lupanar au nouvel an, est-ce qu'on s'embrasse ou bien est-ce qu'on s'encule, ah, ah, ah. La femme lui avait tendu une sorte de ridicule nuisette vert clair et il était entré dans l'arène, bonne année et bonne santé, la santé c'est important, c'est notre capital. Une quinzaine d'hommes avec des gueules pas possibles, des gueules de satyres et de pervers, évidemment, rôdaient dans les couloirs, il s'était déshabillé, pas vraiment rassuré, et un couple avait surgi de la salle de repos, dix malades à leurs trousses, une seconde plus tard, il était dans le sauna, avec les monstres, à se branler comme un dingue, tout le monde faisait pareil, la bite, la bite, la femme avait saisi celle de son compagnon, branlette d'abord, et après sucer, ce qui avait donné le signal du départ, la masse s'était ruée, tous à poil, des gros visqueux, la touchant, s'astiquant, ô j'aime cet endroit, il avait suivi la mêlée, quelqu'un lui avait peloté les couilles, juste quand la femme disait stop, vous vous rendez compte, il y a trop de monde, et un peu dégrisé il était ressorti, s'était rhabillé et était parti.

Il était pile minuit, en arrivant dans la rue il s'était souhaité la bonne année, bonne année, monsieur Sanglier, et il était rentré chez lui peinard.

Peu de temps auparavant, il avait acheté chez un bouquiniste un vieux livre défraîchi, une connerie des années vingt, *Trois Entretiens sur la sexualité,* docteur François Nazier, éditions du Siècle, à mourir de rire, il avait commencé à le lire, avec la télé sans le son, ce livre était une merveille, le support parfait pour son court métrage, rien à voir avec *La Sieste et les Bandonéons,* on était directement dans le vif du sujet.

ELLE. J'ai cependant lu dans je ne sais plus quel ouvrage d'histoire naturelle que les canards étaient sodomites et que certains insectes, les cantharides je crois, et d'autres, se livraient à des pratiques homosexuelles.

Il voyait parfaitement le découpage du film, en couleurs un peu saturées, comme la pub pour les chaussures de sport, il avait griffonné quelques notes sur une feuille, casting décalé. Mouvement de cam au Steadycam.

LUI. Je pense qu'il ne faut voir dans ces affirmations que les manifestations d'un anthropomorphisme naïf. N'attribue-t-on pas à tel insecte des vertus altruistes, à tel autre une cruauté abominable, à l'éléphant une pudeur angélique ?

Il allait se mettre à son ordinateur pour rédiger le début du scénario quand un bruit attira son attention, quelqu'un prenait une douche dans l'appartement.

– Bonsoir, il avait dit, bonne année.

C'était la Polonaise, nue, sortant de la salle de bains, en le voyant elle avait esquissé un mouvement de recul, oh excusez, excusez, l'instant d'après il était sur elle, lui roulant une pelle comme un cinglé, **t'as déjà baisé un boudin**, elle sentait le gel moussant à la mandarine, et **une grosse, t'as déjà baisé une grosse**, ton cul m'excite, petite salope, j'aime ta chatte fournie, mon Dieu elle avait le feu aux fesses, en trente secondes il était à poil et elle en train de le sucer, goulûment, alléluia Seigneur, *Bleibet hier, Bleibet hier,* il lui avait enfoncé un doigt dans le cul et elle avait gémi. JE VAIS TE BAISER COMME UNE GROSSE SALOPE ET TU VAS CRIER.

Elle était à quatre pattes et lui au-dessus la pistonnait, à grands coups de reins, sans préservatif, Dieu est mort, non, et au moment de jouir il avait pensé j'ai jamais fait les tests, si ça se trouve je suis séro et elle va ramener le sida en Pologne, ha, ha. Il lui avait encore sucé la chatte un long moment et l'avait baisée une deuxième fois, les deux autres étaient restés porte de Versailles jusqu'au lendemain matin et ils avaient dormi ensemble, emmêlés dans son grand lit.

Une grosse.

Un boudin.

C'est vrai que c'était autre chose.

Le lendemain, il les avait déposés à la gare, au revoir, petits amis, au revoir mon amour boudin, elle lui avait fait une pipe dans la cuisine pendant que les autres préparaient leur sac à dos, au revoir et bonne année, **monsieur Sanglier** vous embrasse bien fort.

Le dimanche, premier jour de l'année, il avait travaillé comme un fou, *Dialogue sur le sexe* prenait tournure, le lendemain matin en partant à l'agence il avait un scénario fini sur sa disquette, le vendeur de *Réverbère* avait commencé son speech en se plaignant des petits amis de Taizé, impossible de bosser avec tous ces cons, vous avez passé de bonnes fêtes, messieurs dames, eh bien pas moi, merci Taizé, et compatissant il en avait acheté un, monsieur Sanglier n'est pas un enculé, ah, ah, monsieur Sanglier a du cœur.

Le hall de l'agence était désert, ni standardiste ni secrétaires papotantes, bonjour amis crétins, SAVEZ-VOUS QUE BIENTÔT MONSIEUR SANGLIER VOUS PROPOSERA DE NOUVEAUX DIVERTISSEMENTS ? Sur son bureau le Mac était allumé, avec un dossier ouvert, le dossier Sanglier, où étaient consignés tous ses petits envois, tu pues, Barbarella, ton haleine empeste, les petits malins, les sacrés petits malins, la sonnerie du téléphone avait retenti, allô Frédéric, tu peux monter en salle de réunion, s'il te plaît, et il avait plaisanté, mince, on fait les p.p.m. à dix heures du matin un lundi maintenant, avant d'y aller il avait corrigé une réplique de son scénario. *Si on y réfléchit un instant, tout, dans notre société moderne, pousse la femme à la masturbation.* Il allait faire un carton.

Il y avait le directeur de création, son directeur artistique, le responsable du service commercial, sa commerciale, Barbarella, le standardiste, mon Dieu mais peut-être faisait-il maintenant partie de la direction, et un des patrons en personne, salut, patron, bonne année, salut tout le monde.

– Nous sommes devant une situation gênante, Frédéric.

La commerciale avait l'air fatiguée, tu l'as baisée toute la nuit, mon salaud, tu l'as épuisée ?

– Les événements survenus à l'agence récemment dépassent l'entendement, tu dois bien t'en douter, et ne sont évidemment pas tolérables plus longtemps.

MAIS AVEZ-VOUS BIEN RÉALISÉ QU'IL ÉTAIT MORT ?

– Je ne comprends pas, il avait dit, toujours souriant, qu'est-ce qui se passe ?

– C'est toi, avait glapi Barbarella, c'est toi, pauvre malade, Manuel a eu l'idée de regarder sur ton Mac, c'est toi qui envoies des lettres.

Son sourire s'était accentué, excuse-moi, Barbarella, je ne te suis pas très bien.

HE'S DEAD. THE OLD MAN IS DEAD.

Un mec cool.

Et sympa aussi.

Avec de l'humour.

– Qu'est-ce qui se passe, disait le patron, tu as des problèmes en ce moment, t'as pété les plombs ?

Et il avait encore souri, non pas spécialement, pourquoi tu me demandes ça ?

Plutôt bien de sa personne.

Paraît-il un bon coup.

Excellent créatif.

THE OLD MAN IS DEAD.

Le standardiste avait sorti une feuille avec ses messages imprimés, désolé, Frédéric, tu es le seul à avoir cette police de caractères sur ton Mac, et l'imprimante a un petit défaut, elle imprime moins bien le bas des lettres, c'est la seule de l'agence à faire ça, exactement comme le dénouement d'un mauvais policier.

LUI. Je pense que vous ne partagez pas l'avis de cet imbécile. Au surplus, je ne prétends pas me faire l'apologiste d'aucune pratique sexuelle normale ou pathologique. Je m'efforce de vous montrer quelques-uns des rouages de notre machine sexuelle.

Il y avait un grand silence dans la salle de réunion, le sapin de Noël clignotait à côté de la télé et du bloc magnétoscope, peut-être que j'ai le sida, peut-être que je suis séro et que je l'ai refilé à la Polonaise.

– Eh bien, il avait fini par dire, on dirait que je commence l'année en fanfare, non ?

Et là il s'était mis à chialer.

La création artistique

Pour Pascal

Il avait décidé d'arrêter de se branler un vendredi, à vingt-quatre heures précises, de manière à embrayer sur des choses nouvelles à zéro heure, le samedi, jour du début de la nouvelle lune.

En fait il avait décidé d'arrêter toute activité sexuelle, mais comme la branlette en était la principale, il avait simplifié la dénomination de sa décision, vendredi soir j'arrête de me branler. C'était suffisant, suffisamment explicite, c'est ce qu'il avait noté dans son cahier de décision, « Arrêt branlette ».

A vingt-deux heures le jour dit, il était monté jusqu'à Clignancourt, en métro, et il avait erré jusqu'à trouver ce qu'il cherchait, une pute qui ait l'air jeune et jolie, et gentille, dans la pénombre du boulevard extérieur, qui accepte de le sucer pour soixante-cinq francs en monnaie, et de le sucer sans préservatif. A vingt-trois heures et des poussières il avait déniché une fille pas vraiment jolie, mais en tout cas dans les prix, qui l'avait pompé derrière un camion, sans même se donner la peine de se cacher. Il était rentré chez lui à toute allure, où il s'était fait jouir encore une dernière fois, quelques minutes avant minuit.

C'était un artiste. Un peintre et un grand, un authentique artiste.

La nuit il avait rêvé de choses bizarres, d'une lumière dorée enfin accessible : plus jamais tu ne te branleras, et quelqu'un le prenait dans ses bras pour lui donner l'accolade, maintenant tu es des nôtres, une sorte de club des Purs Créateurs, dans un infini bleu azur. Léonard et Michel-Ange l'accueillaient avec bienveillance, tu as pris la bonne décision Lou, l'énergie sexuelle est le moteur de la création, la gaspiller est une hérésie, un péché, auquel un artiste aussi talentueux que toi ne doit pas se livrer.

Il s'était toujours refusé à essayer de vendre ses toiles et dès le matin il avait dû régler tout un tas de problèmes à la mairie concernant son R.M.I. et diverses allocations, ce qui lui avait pris la tête jusqu'à une heure avancée de la journée mais, l'un dans l'autre, quand même, l'impression bénéfique de la nuit persistait.

Il allait réussir un chef-d'œuvre.

A son retour le téléphone sonnait et Paul lui avait proposé de passer le voir au bureau, je crois que j'ai quelque chose pour toi, je t'attends.

Paul était un ami. Un vieil ami, qu'il connaissait depuis l'école d'arts graphiques. Lui avait bifurqué vers la peinture et Paul vers le journalisme. Parfois Paul le faisait travailler, un peu de maquette, un ou deux dessins débiles en tête de rubrique, les journaux dont Paul s'occupait étaient des journaux de cul, de cul bizarres, des trucs pour pédés, ou spécialisés « lips », c'était le terme technique, un journal de lips, que des photos de sexes de femmes en gros plan, ou de fesses, tellement étranges ma foi qu'en en changeant légèrement la présentation ça aurait presque pu passer pour une revue d'avant-garde.

D'avant-garde artistique.

Il était monté au journal en métro et en bus, deux heures de transport en commun pendant lesquelles il avait réfléchi à son projet. Son œuvre, sa grande œuvre. Un tableau gigantesque, un condensé de la vie moderne, et d'ailleurs cela en serait le titre, *La Vie moderne*. Il avait vu des S.D.F. devant un supermarché donnant une sorte de curieuse petite représentation théâtrale, avec ce thème générique, la vie moderne, et il avait immédiatement pensé à une transposition picturale.

La vie moderne.

Des milliers d'images qui nous assaillaient, faisaient partie intégrante de notre conscience, les dessins animés, la publicité, les affiches, feu rouge, feu vert, la lumière des villes, et le bruit, le bruit si fort que c'était devenu un élément quasi physique, un corps matériel, stress, stress et bruit, la télé et les jeux vidéo. Il allait faire un truc gigantesque.

– Ce qu'il faut c'est innover, avait annoncé Paul, on est sur une dynamique porteuse, c'est dans notre intérêt à tous que cet élan se poursuive.

Plusieurs titres avaient eu des bons résultats, de la pub, des ventes en progression, et il était question d'en lancer un autre. Un journal pour couples échangistes.

– J'ai pensé tout naturellement à *Echange*. C'est assez proche d'*Union*, qui sera notre concurrent direct, et suffisamment évocateur.

Il avait hoché la tête, oui, bonne idée, chaque fois il disait oui, bonne idée, des pauvres gens, des gens malades, qui avaient perdu de vue tout sens réel des choses.

– Tu ne crois pas que ça fait un peu magazine économique ?

Pour finir, après une heure quarante-cinq minutes de discussions sur *Echange,* ils étaient tombés d'accord pour *Echange charnel, Echange* en gros et *charnel* venant en sous-titre dessous en plus petit. On l'avait consulté sur le choix des caractères et il avait proposé quelque chose de classique, en faisant vaguement semblant de s'intéresser. Tu peux nous faire un projet de maquette pour demain, avait voulu savoir Paul, et il avait opiné, pas de problème, si le Mac est libre je m'y mets tout de suite.

C'était peu de travail et une rentrée d'argent supplémentaire n'était pas de refus en ce moment.

– Bon, avait dit Paul aux deux autres, je souhaite quelque chose d'original, on va défoncer les vieux ressorts usés de la presse échangiste.

Les deux avaient approuvé, bien sûr, cela va de soi, faut qu'on fasse l'équivalent d'*Actuel* dans les années quatre-vingt, le branché du cul, d'ailleurs les partouzes étaient à la mode, et pendant encore une bonne heure les idées avaient fusé, qu'est-ce que tu dirais de faire des fiches critiques sur les boîtes coquines au format Filofax, qu'on pourrait intégrer facilement, et d'autres propositions tout aussi saugrenues, on pourrait faire un jeu-concours, de la plus grosse bite avait gloussé la secrétaire en passant, et tout le monde avait rigolé. Vers la fin Paul avait sorti des classeurs pleins de photos, il nous faut une iconographie en béton, et en jetant un coup d'œil sur la pile de corps contorsionnés dans toutes les positions il avait eu un coup au cœur.

J'ai arrêté de me branler depuis ce matin.

Et c'est une décision irrévocable.

– Celle-là est pas mal, non, c'est des Hongroises, depuis un moment elles font un carton.

La secrétaire était revenue voir, elle n'avait pas de soutif et il avait eu un début d'érection.

L'énergie sexuelle est le moteur de la création.

La gaspiller est une hérésie et un péché.

Ensuite les pigistes étaient partis et il était resté avec Paul, penché derrière l'ordinateur qui surveillait l'évolution de la maquette de couverture, Echange, **Echange,** *Echange,* ECHANGE.

Paul son téléphone portable à la main, en ligne d'abord avec sa maîtresse, une de ses maîtresses, et après avec la télé, eh bien je crois que je vais accepter, c'est l'occasion d'être vraiment en phase, de faire passer des choses auprès du grand public, en raccrochant il avait dit j'étais avec la chaîne, ils veulent que je démarre dès la rentrée en prime time, et lui l'esprit ailleurs avait répondu, ah, c'est quoi, c'est une émission, de toute façon il ne la regardait que rarement et en plus la télé c'était quand même pour lui le summum.

– Non, avait précisé Paul, le prime time n'est pas une émission, c'est le créneau horaire le plus regardé.

Ils avaient arrêté leur choix sur un garamond pour Echange, corps soixante, et un nadiane corps quarante pour charnel, et puis il était rentré, au changement à Saint-Lazare il avait été tenté de faire un arrêt rue de Budapest, juste un petit tour, de toute façon il n'avait pas d'argent, mais au dernier moment il avait renoncé. Une décision est une décision, et elle est irrévocable.

La création artistique.

Et l'énergie sexuelle.

Le 8 avril 1476 un billet anonyme fut jeté dans le tamburo, accusant Léonard de Vinci et trois autres jeunes gens de s'être livrés à des pratiques homosexuelles sur un jeune modèle de dix-sept ans, nommé Jacoppo Saltarrelli. Si le maître fut absous de cette accusation absurde, elle n'en laissa pas moins une trace profonde, puisque encore maintenant la moindre notice biographique mentionnait l'ignominie et Freud en avait fait plus tard ses choux gras, Léonard la Tarlouze, dans un essai resté célèbre. On ne connut par la suite aucune liaison au grand peintre et d'aucuns se demandaient s'il avait déjà étreint une femme, alors qu'un des secrets du génie de De Vinci était à l'évidence la maîtrise de ses fluides.

Leur contrôle et leur sublimation.

Le soupçonner d'homosexualité plus ou moins refoulée était d'une telle stupidité qu'il était atterrant qu'un esprit aussi brillant que Freud ait pu y songer un seul instant.

Au pied de sa tour les voisins étaient en grand conciliabule parce qu'il y avait eu de nouveau des vols dans les caves, le locataire du premier s'était affublé d'un sac à dos pour opérer une sorte de ronde plusieurs fois par jour, le rôle du sac à dos étant de servir de protection en cas d'attaque sournoise à l'arme blanche. Le sac à dos était rembourré avec du carton. Les jeunes devant le bâtiment s'en étaient mêlés, assurant qu'ils avaient déjà viré le drogué qui avait le sida et que les voleurs seraient châtiés sans pitié dès leur identification, en se retenant de rigoler, ma parole, je vous jure qu'ils vont passer un sale moment, et les locataires et le gardien n'avaient pu qu'approuver, alors qu'il était fort probable que ce soit eux les voleurs, mais comme avait dit une dame après, on ne peut quand même pas les accuser sans preuve.

Il avait contemplé toute la scène, vaguement ému. Le gardien ressemblait à Pluto et la dame à Clarabelle, les jeunes dehors étaient des Jumbos dupliqués à l'identique, des Jumbos touchants et un peu idiots.

Un tableau.

Un tableau maladroit, simple, préambule évident à *La Vie moderne.* Il avait passé toute la matinée du lendemain à peindre, Pluto, Clarabelle, les Jumbos, et les autres autour.

En fait ce n'était pas si dur que ça. Pas plus dur que d'arrêter l'alcool, la drogue, ou les cigarettes. Il suffisait de le faire, ni plus ni moins. Dans un coin de la toile il avait quand même dessiné Minnie, en accentuant son décolleté, les plis de la jupe remontée par le vent laissant voir l'ourlet de sa culotte. A deux heures il avait failli craquer, sentant un début d'excitation le gagner, Minnie était la fille de ses voisins, une brune, mignonne, dans l'ascenseur certaines fois il pouvait sentir son parfum, mais il avait réussi à tenir le coup, chassant les pensées parasites. Au début je dois un peu me forcer, je dois faire un effort, et après ça va venir tout seul. Il était encore trop tôt pour s'en rendre compte mais il pressentait déjà la force créatrice supplémentaire qui allait l'investir sitôt le premier cap passé.

Le lendemain il était repassé à *Echange* peaufiner la maquette et régler deux ou trois détails, les chapeaux et les petits dessins en haut des articles, des bites et des femmes à poil, stylisées, on va faire le premier journal de cul pour les branchés, et lui aussi avait souri, ah oui, certainement, tout Bastille va en raffoler.

Il lui était déjà arrivé de faire des remplacements au journal quand le gardien était en vacances, les bureaux du petit groupe de presse abritaient une dizaine de titres et avec tout le matériel, les ordinateurs et le reste, il fallait quelqu'un en permanence. Quelqu'un de confiance, avait précisé le directeur, je sais que tu es un ami de Paul, tu pourrais dessiner en même temps et cela ne te prendrait que quelques nuits par semaine.

Il avait relevé la tête de la table à dessin, le directeur avait des cheveux poivre et sel et un catogan, oui, après tout pourquoi pas, merci de me le proposer. Jusqu'à une date récente il était agent de service dans un lycée, mais à la fin de l'année son contrat n'avait pas été renouvelé et il s'était retrouvé le bec dans l'eau. Gardien de nuit pouvait représenter une bonne opportunité. Sans compter qu'il était toujours possible de se faire payer sur note de frais, au noir, ce qui, ajouté au R.M.I., lui permettrait de mener à bien *La Vie moderne*.

Peindre une toile de cette envergure n'était pas une mince affaire. Rien que le problème de la place représentait déjà un écueil considérable. Il allait devoir démonter provisoirement ses étagères de livres et installer son lit dans le couloir, de plus faire pénétrer la toile dans l'appartement n'était possible qu'en la hissant par le balcon. Pas la peine donc de rajouter à ces tracas logistiques une difficulté financière supplémentaire.

– C'est d'accord, je suis O.K. pour cet emploi.

C'était un petit groupe de presse, où les gens

fumaient des joints au bureau, une ambiance sympa, autant que le veilleur de nuit soit au diapason.

– Parfait, avait dit le directeur, je suis content.

Il en avait profité pour le complimenter pour sa maquette. C'est bien, vraiment, bravo, excellent travail.

Le directeur ressemblait à un kangourou. Un kangourou avec des gants de boxe.

Ce jour-là au changement à Saint-Lazare un employé en haut d'une échelle était en train de coller une affiche et il avait reconnu la signature d'un de ses condisciples de l'école d'arts graphiques, que d'ailleurs Paul connaissait aussi, une affiche immense, comme elles sont sur les quais du métro, dans un style pas mal, franchement pas mal, autant le reconnaître. LES VACANCES VOUS VONT SI BIEN, avec la marque en dessous, et un autre petit baratin.

Mais qu'était donc la création artistique ? Et qu'était-ce qu'un artiste ? Dans quelle perspective et au service de quoi ?

Durant tout le reste du trajet, il avait médité là-dessus, pour la millionième fois, la création artistique. Et sa place dans le monde. Son aspect sacré. Et comment on pouvait la salir et la galvauder. Pour de l'argent, par exemple.

Il habitait au quatrième, ce qui nécessitait une corde suffisamment longue pour tirer la toile. Dans le bâtiment en face les jeunes complotaient, assis sur les marches, en rigolant.

Au bout de cinq jours il pouvait commencer à ressentir un changement notable, une énergie énorme et bouillonnante, aussi bien qu'une envie de se branler par moments presque intolérable, mais il avait tenu bon. Tiens bon la barre camarade, que rien ne vienne te faire dévier de la route choisie.

Malheureusement les possibilités de diversion étaient innombrables, et si tentantes, plusieurs fois en faisant ses courses il avait suivi des filles dans la rue, à moitié bandant, le plus dur aussi était de rester seul, d'abord il peignait, mais invariablement l'obsession revenait, machinalement, automatisme irréversible contre lequel il lui fallait lutter. Encore quelques jours et je tiendrai le bon bout, encore quelques jours et ça ira mieux.

Le vendredi Paul avait appelé pour l'inviter à dîner, avec d'autres gens, des gens bien tu verras, viens vers quatre-six heures, comme ça tu pourras m'aider pour la bouffe, et achète du bois aussi, on fera du feu, c'est plus sympa.

Paul venait d'emménager dans le quinzième, après la promotion de la télé, la télé ça paie c'est bien connu, pour accéder dans l'immeuble il fallait faire un premier code, la porte s'ouvrait et se refermait toute seule, mue par un bras invisible et magique, encore un deuxième code, donnant accès à l'interphone, devant sur le parking trônait la voiture de Paul, la même voiture que le Saint, dont, paraît-il, il ne restait pas plus d'une cinquantaine d'exemplaires en circulation, et après on appuyait sur l'interphone, un autre mécanisme envoyait l'ascenseur, les portes, une fois refermées, laissaient apparaître de jolies arabesques dorées, l'ascenseur montait tout seul, et hop, on arrivait directement dans l'appartement.

– Ça va ? s'était inquiété Paul, tu as pu trouver des bûchettes ?

L'appartement était une sorte d'hallucination au dernier étage d'un immeuble surplombant le bas de l'arrondissement, la tour Eiffel et la Maison de la Radio à deux pas, et les fenêtres s'ouvrant sur des jardins, des jardins en plein milieu de la ville, des arbres en fleurs, un petit verger, et dans un bout de pré il y avait un poney.

Un poney.

– Tu ne peux pas savoir, avait dit Paul en lui faisant visiter, jamais je n'aurais imaginé qu'il y ait autant d'oiseaux à Paris.

Sur une des terrasses une fille était déjà arrivée, avec des lunettes de soleil et des nichons comme des obus, après avoir posé les bûches à côté de la cheminée, il était passé à la cuisine, ils seraient une quinzaine à dîner, et merde, faire la bouffe pour quinze, t'es champion, non ? Sinon Paul s'était enquis de sa nouvelle situation au journal, si tout se passait bien et si le rythme n'était pas trop dur.

– Non, avait répondu Louis, aucun problème, je te remercie.

Il avait préparé une sauce pour des spaghettis, Obus-Nichons était venue l'aider à éplucher des oignons et une autre fille, en fait la nouvelle maîtresse de Paul, au téléphone il avait dit tu verrais ça, elle me fait bander rien qu'en me regardant, avait mis la table.

A minuit cela ferait exactement une semaine et un jour qu'il aurait arrêté tout commerce, même fantasmatique, avec les choses de la chair. Il s'était répété la phrase, alors que le signal de l'ascenseur annonçait une nouvelle fournée d'arrivants, tout commerce, même fantasmatique, avec les choses de la chair, en souriant intérieurement. *La Vie moderne* commençait vaguement à se dessiner. Il avait acheté le cadre et entrepris plusieurs séries d'esquisses, et ma foi, autant viser les sommets, la réussite de cette toile allait dépasser ses prétentions les plus folles.

– Salut, avait dit une voix, depuis le temps c'est marrant de se voir là, qu'est-ce que tu deviens ?

Il s'était essuyé les mains sur son torchon, c'était le type avec qui il était à l'école d'arts graphiques, le publicitaire du métro, LES VACANCES VOUS VONT SI BIEN.

– Je parlais justement de toi avec Paul l'autre jour, il me disait que tu bossais un peu pour son canard...

Deux autres filles venaient de surgir, des bombes.

Oui, il avait répondu, j'ai fait la maquette pour *Echange charnel*, et ils avaient souri tous les deux.

Au moment de passer à table un autre garçon avait surgi, dans l'appartement la porte de l'ascenseur se camouflait derrière une glace à moulure dorée et ça faisait curieux de voir ce machin pivoter et laisser apparaître une silhouette.

– Salut, salut, avait dit l'arrivant, comment trouvez-vous mes nouvelles chaussures ?

Le type était plus ou moins critique d'art, il en avait déjà entendu parler par Paul. Ses chaussures étaient en lambeaux. De la peau de tortue, ou de serpent, ou de crocodile, mais en charpie, surmontées d'un pantalon de cheval trop petit et d'un chemisier de femme. Ah, ah, sacré Achille, Obus-Nichons était venue l'embrasser, et l'autre, la nouvelle maîtresse, celle dont le regard faisait bander, Prunelle Erectile, s'était laissé toucher les seins.

Le regard d'Achille avait embrassé la totalité de la pièce, pour s'arrêter devant Paul et Louis, Louis son torchon toujours à la main et son tablier plein de sauce à la tomate, et Paul vraiment pas mal, bien sapé.

– Gontran ? il avait pointé Paul, et Donald, je présume ?

Gontran.

Et Donald.

Sacré Achille, tout le monde était plié, et c'était exactement ça, Donald et Gontran, avec la voiture du Saint et l'autre misérable en tenue de cuisinier, ah, ah, sacré Achille.

Il avait servi les plats, aidé par Prunelle et Obus, attends on va t'aider, il est vraiment incroyable Paul de te laisser tout faire, le critique d'art lui faisait irrésistiblement penser au bonhomme Michelin, les trois filles à des pin-up de camions, une existence jolie, mais fade, collée sur un pare-brise.

– Mais tu fais quoi alors exactement, lui avait demandé Obus-Nichons, tu travailles avec Paul ?

La sauce n'était pas tout à fait assez cuite, encore deux, trois minutes maximum.

– Je fais du gardiennage.

– Ah bon, tu as une entreprise avec des vigiles ?

– Non, je suis veilleur de nuit.

Là elle était restée un instant sans voix, et certainement comme elle devait avoir l'esprit vide, ne pas savoir sur quoi embrayer d'autre elle avait continué, et avant tu étais dans la même branche ? Ce qui lui avait permis de répondre du même ton morne, non, je travaillais dans un lycée, j'étais agent de service, je m'occupais du nettoyage des salles de cantine, mais malheureusement ils n'ont pas renouvelé mon contrat.

– Ah oui, avait dit Obus-Nichons, ça devait être intéressant...

Associer création artistique et vénalité était quelque chose auquel il préférait se refuser.

Et puis elle avait dû réaliser la bêtise qui venait de lui échapper, parce qu'elle avait eu un petit sourire, en se mordillant la lèvre, genre excuse-moi je suis vraiment la reine des gaffes, et elle avait profité de son absence de réaction pour battre en retraite vers la terrasse.

La beauté.

La beauté et l'apprentissage de la beauté.

C'était ça qui comptait, et la forme parfaite de tout, des nuages et du monde, pour arriver à la ville d'aujourd'hui, les constructions récentes, et l'art, mon Dieu l'art, mais comment Léonard arrivait-il à reposer en paix avec toutes ces ignominies, les matériaux merdiques utilisés pour les constructions, le profit dictant chaque geste, l'avidité, et comment trouver un sens à tout ça, avec la Belle au bois dormant, oncle Picsou et le Marsupilami, et la profusion d'images se déversant dans un flot ininterrompu.

La vie moderne.

Dans un coin au fond il mettrait la tour Eiffel, exactement comme il la voyait présentement, par la fenêtre de la cuisine de Paul.

– Fais gaffe, l'avait interrompu Prunelle Erectile, la sauce est en train d'attacher.

Pendant le repas les discussions avaient roulé sur des sujets divers, les élections prochaines et les problèmes de la banlieue, c'est tout de même fou ce qu'il se passe dans la banlieue, Achille, le critique d'art, n'était pas d'accord, la banlieue était un réducteur, sans réelle réalité en terme de nombre, la couronne francilienne compte quatre millions d'individus, comment imaginer qu'il s'agit de quatre millions de délinquants arabes, drogués et armés jusqu'aux dents ? Une des filles s'était fait récemment à moitié agresser en allant à Vitry, par des jeunes, et la conversation avait opté pour un tour plus léger, la tenue vestimentaire et le droit pour les femmes de porter des vêtements provocants sans risquer le viol tous les dix mètres, chacun devant avoir la possibilité de choisir son apparence, en toute liberté, et sans contrainte.

– C'est comme de s'épiler, avait dit la fille, elle ressemblait à une biche, une biche dans *Bambi*, moi j'aime bien me laisser les poils sous les aisselles, je trouve ça beaucoup plus agréable.

– Ah, avait mugi l'assemblée, fais voir, fais voir.

Les pâtes étaient un petit peu trop cuites et il avait

un vague début de migraine, léger, qui avec le brouhaha avait du mal à s'estomper.

Biche Poilue avait soulevé son bras, vous trouvez pas qu'une aisselle humide avec des poils c'est quand même beaucoup plus excitant, et ils étaient tous venus la renifler, en gloussant, et quand ç'avait été son tour il s'était penché, la bite déjà dure comme une trique de béton et il avait aspiré l'air, provoquant l'hilarité générale, hé doucement Donald, avait rigolé Achille-bonhomme Michelin, on dirait que t'es en train de la sniffer.

Ensuite ils étaient passés sur la terrasse, dans la fraîcheur de septembre, et il s'était occupé du feu, sur la cheminée à l'extérieur était sculpté un dieu antique, en staff. Il avait dû y avoir une fracture à un moment, peut-être vers les années trente, après le Bauhaus, au moment où tout s'était accéléré, et après avec la fin de la guerre c'était fichu, il n'y avait qu'à voir les villes reconstruites, Le Havre et Dunkerque, la catastrophe, et le gouffre des années soixante, les tours du treizième, le déferlement des médias et de la consommation de masse, livrant le monde à la laideur avec un acharnement jamais démenti, tout enlaidir à plaisir jusqu'à plus soif.

– De toute façon, disait Biche Poilue, on vit une époque où plus rien n'a de sens, pas étonnant que ça pète de tous les côtés.

Et le peintre publicitaire avait renchéri c'est sûr, c'est pour ça que plein de gens deviennent dingues, à cause de l'absence de sens, de signification, à l'agence où il bossait un des créatifs s'était mis à bombarder ses collègues de lettres et de coups de fil anonymes, tu te rends compte, un mec super-sympa en plus, maintenant il est en maison de repos, on lui donne des médicaments.

Vers minuit la majorité des invités était partie, sur la terrasse les bûches achevaient de se consumer, des bûches pour Parisiens qu'on trouvait à la station-service, il avait fini de tout ranger dans la cuisine et comme Obus-Nichons et Biche rentraient il avait profité de la voiture pour filer aussi.

– Merci, il avait dit à Paul, merci de m'avoir invité c'était sympa.

Sympa de passer une soirée dans un triplex.

Face à la tour Eiffel.

Avec des mannequins.

Des journalistes.

Et un publicitaire.

Sur une terrasse avec cheminée.

En plein quinzième arrondissement.

Mais après tout peut-être la laideur n'était-elle qu'une apparence, la couche superficielle d'une dimension plus profonde dont un manque de recul provisoire rendait le discernement impossible. Un élément trompeur dans un dessein plus vaste. Comme les échafaudages cachant les tours de la cathédrale. La gangue enserrant le joyau, que lui, artiste, pouvait à travers sa toile révéler.

– Tu habites où ? avait voulu savoir Biche, plutôt dans le sud ou plutôt dans le nord ?

Il avait croisé son regard dans le rétroviseur, il allait faire un chef-d'œuvre.

– C'est gentil, il avait bredouillé, mais j'habite à l'extérieur de Paris, je vais prendre un taxi, ça ira très bien.

Elles l'avaient laissé à Montparnasse et il avait pu

in extremis attraper le dernier métro, direction porte de Clignancourt, le parfum des deux filles imprégnait l'atmosphère de l'odeur éprouvante du pire.

Huit jours complets sans se branler.

Plus une heure.

Il avait arpenté le boulevard en cherchant une possibilité dans les silhouettes décharnées adossées aux voitures, avant de réaliser qu'il n'avait pas un sou, vingt-trois francs précisément, pas assez pour envisager le moindre truc, et en plus, alors qu'il rôdait depuis deux bonnes heures, ombre sournoise dans la nuit noire, une des filles l'avait signalé à une voiture de patrouille et il avait fini la nuit en cage, au central du Mont-Cenis, à jurer ses grands dieux qu'il n'était pas le malade qui depuis trois mois attaquait les putes.

Un commissariat.

Des prostituées.

Le bruit des voitures.

Et le clochard qui gueulait.

Dans le scintillement des réverbères et des enseignes.

La vache qui rit.

Le sourire niais des dessins animés japonais.

Obélix et les petits lapins.

Pinocchio.

Falbala.

Et Gontran sur une moto.

Faisant des sourires et frimant devant Daisy.

Ils l'avaient lâché pour cinq heures, allez oust, dehors, et il avait repris la ligne dans l'autre sens, direction porte d'Orléans, changement à Montparnasse, l'esprit de plus en plus tourneboulé, une femme dans le wagon quasi vide ressemblait à Obus-

Nichons et il avait brusquement craqué, en glissant une main dans sa poche, et en fixant la fille de son regard de fou, tant et si bien que vers Saint-Placide la dame assise au milieu s'était penchée vers son voisin et il avait lu sur ses lèvres avec précision ce qu'elle disait, comme si elle l'avait hurlé, VOUS AVEZ VU JE CROIS QU'IL SE MASTURBE, et il avait éjaculé dans son pantalon à gros bouillons, j'ai tenu huit jours et puis j'ai craqué.

On pouvait dire que la beauté était une question de regard.

De regard et de culture.

Des Papous téléportés dans la Grande Galerie du Louvre seraient-ils sensibles au charme de *La Joconde*.

Le petit garçon Cérébos sa salière à la main courait après un oiseau récalcitrant.

Et le surfer d'argent emmenait la Vierge Marie faire un petit tour, survolant Paris.

Chez lui il s'était allongé, sans arriver à dormir, la présence presque palpable d'Obus-Nichons rendant tout repos problématique. D'abord il lui parlait de peinture, la sensibilisant à certains tableaux, *Le Christ debout dans son tombeau*, de Fra Angelico, tu as vu cette scène, les couleurs, la charge incroyable qui s'en dégage, et *La Naissance de saint Jean*, par Luca Signorelli, sans commentaire n'est-ce pas, et après, petit à petit, doucement, il embrayait sur sa théorie, La Théorie des mondes qui s'emboîtaient. Comment au fil des siècles les choses avaient peu à peu évolué et la forme prise maintenant par nos alter ego dans un plan autre.

– Comment ça ? s'étonnait Obus-Nichons, je ne comprends pas...

Et lui d'expliquer les subtilités de l'affaire, que différentes dimensions cohabitaient et que de tout temps les locataires des Mondes qui s'emboîtaient s'étaient manifestés, dans l'Antiquité sous la forme des dieux et des créatures, plus près de nous par le biais d'apparitions, les trolls, lutins, et farfadets, et aujourd'hui, vu l'évolution des choses, tu te doutes bien que c'est délicat, ils préfèrent occuper l'imaginaire de façon discrète. Il y a une corrélation entre nos vies et la leur, ce n'est qu'une facette de la même source, quand tu vois Bambi ou le cheval Pégase des stations Mobil c'est une entité aussi réelle que toi ou moi.

Peut-être plus, même.

Oui, peut-être même plus.

Obus-Nichons le regardait, souriante et, autant le dire, un peu épatée, ils décidaient de se faire une sortie, le Louvre, ou une expo, et puis d'un seul coup tout dérapait, le sourire d'Obus-Nichons se transformait, pour prendre une expression... une expression, oui, de salope, sa langue faisant une petite tache dans le blanc de ses dents, nue et offerte, la chatte écarquillée sur la moquette, je vais te baiser comme une grosse pute et comme une chienne, et pan, il s'était encore masturbé, une fois, et encore une autre après, dès qu'il avait pu.

J'ai tenu huit jours.

J'ai tenu huit jours et après j'ai merdé.

J'ai merdé complètement.

Le soir il était allé travailler, pas vraiment au mieux de sa forme, et comme une malchance s'acharnant, une équipe d'un des autres journaux tournait un roman-photo porno, dans la pièce du haut, on l'avait sollicité pour déplacer les projecteurs et donner un coup de main, il avait passé la nuit entre deux filles à poil et un hardeur, prenant des poses et se chevauchant jusqu'à plus soif.

En repartant le matin Gontran, qui venait d'arriver, lui avait demandé si pendant ses nuits de veille il ne pouvait pas jeter un coup d'œil sur les lettres.

– J'ai un problème avec le correcteur, il arrête.

Les lettres étaient l'ossature du journal, sa fibre profonde, le courrier des lecteurs, Envoyez-nous vos témoignages intimes. Les lecteurs nous écrivent, en général quelques missives revêtues d'une écriture illisible parvenaient à la boîte postale, que Gontran remettait au correcteur, qui, comme par magie, les transformait en pépites brûlantes, que les amateurs avides du mensuel dévoraient avec gourmandise. Les lettres étaient le journal. Plus de lettres, et donc plus de journal. Et plus de correcteur signifiait malheureusement plus de lettres. Certes, oui, évidemment, bien sûr que non ce n'était pas bidonné, on les donne au correcteur tu comprends, le correcteur les lit et en extrait le suc, la matière justifiant une publication. Et ma foi qu'importe effectivement s'il en rajoute un peu. Ce qui compte c'est qu'elles soient réussies, non ?

Il était retourné chez lui avec la grande enveloppe de papier kraft, tout le courrier du mois, et une collection des concurrents d'*Echange*, il faut trouver le bon ton, une fois que tu as le ton, c'est gagné.

Rue de la Roquette des impies détruisaient une église, avec un gros bulldozer et une machine infernale accessoirisée avec une boule de fonte, énorme et monstrueuse, qui frappait les parois de l'édifice à intervalles réguliers, jetant bas les murs et la toiture. *Et ils montèrent sur la surface de la Terre, et ils inves-*

tirent le camp des saints, et la ville bien-aimée. Mais un feu descendit du ciel, et les dévora.

Avant les gens n'avaient rien, ou peu, et pourtant la civilisation fonctionnait sur l'Etre, l'Art était au service de grandes idées, des scènes bibliques ou antiques, pas LES VACANCES VOUS VONT SI BIEN, pas d'église démolie.

– Nous fonctionnons sur l'Avoir, il avait proféré à haute voix, dans le bus, sur l'Avoir et l'Avidité, et nous courons à notre perte.

Un vieux à côté avait approuvé, c'est tout à fait vrai ce que vous dites, un vieux qui lisait *Le Monde*, et cette discrète approbation, bêtement, lui avait mis le cœur en joie pour le reste de la journée.

A son réveil, il avait réattaqué *La Vie moderne*, les sept petits nains de Blanche-Neige se disputaient avec les Rapetous et une avalanche de couleurs préfigurait la trame finale, une explosion atomique qui déchirait la toile de bas en haut.

En fin d'après-midi, il avait repris les transports, Paul lui avait décroché un rendez-vous à la télé, un générique à réaliser, pour lequel son talent, son univers, allaient faire merveille, tu vas voir c'est un projet hypra-intéressant, et aussitôt dans le bureau du responsable, au septième étage d'un immeuble qui ressemblait à une maquette d'hôpital concoctée par des étudiants en arts plastiques, le type l'avait entrepris, en regardant les photos de ses toiles, vous avez un vrai talent, un univers, embrayant illico sur le projet, une stupidité plus ou moins interactive où il fallait que les gens téléphonent, avec des lots débiles à gagner, tu piges l'astuce, c'est en même temps complètement au premier degré, et en même temps complètement dérisoire, un générique hypra-coloré était primordial, on a une vraie idée avec cette émission, et le générique de début doit avoir une vraie présence, le type parlait comme une mauvaise caricature d'un branché travaillant dans les médias au vingtième siècle, scène dont il avait immédiatement synthétisé la poésie sur le tableau, Vrai Branché Travaillant à la Télé au vingtième siècle, une sorte de Finaud-Ecureuil avec des oreilles de cochon, mon Dieu c'était ça l'idée, la Vraie-Bonne idée de l'après-midi, il allait doter tous les malheureux contaminés des attributs des porcs, petites queues en tire-bouchon et oreilles de cochon, ah, ah, quelle vraie de vraie bonne idée.

– Alors, avait dit le type, surprenant, non ?

Dans l'ascenseur en redescendant il avait envie de pleurer. Mais vous rendez-vous compte de ce que vous faites ? Avez-vous conscience de l'ignominie ?

Mais apparemment non, personne ne se rendait compte de rien ou si peu, le bruit des voitures, broum, broum, affiches et produits marchands, victuailles étalées, dans l'hystérie généralisée, achète, achète et crève, toute poésie disparue et maintenant la télé, dans le hall des récepteurs géants diffusaient les émissions en direct et il avait reconnu un des présentateurs, présent au dîner chez Paul-Gontran.

La fin du monde est pour bientôt et vous, inconscients, vous commettez des actes impurs et bafouez ce qui vous a été donné.

Si on recommençait à compter à partir d'aujourd'hui il était à un.

Aujourd'hui premier jour sans me branler.

L'art n'était que la matérialisation de quelque chose de mystérieux, une vibration représentative d'un sentiment, d'une émotion profonde et révélatrice de l'Etre.

Et l'Etre était malade.

C'était clair comme de l'eau de roche.

A regarder le travail de tous ces jeunes graphistes depuis une vingtaine d'années, les corps torturés, le trait haché et déstructuré, et l'invasion et le recyclage d'une imagerie venant de la bande dessinée ou des médias, comme d'ailleurs dans son propre travail, l'état et la situation précise de la vie moderne étaient d'une limpide évidence.

Mettre le monde en forme et en témoigner.

Une catastrophe.

Ou la préfiguration d'une ère nouvelle.

Avec Cendrillon.

Mickey.

Et une foule d'ombres bicolores.

Depuis un moment les ombres bicolores se manifestaient avec une virulence accrue, sans qu'il sache très bien la signification ou le sens qu'elles pouvaient évoquer.

Des ombres bicolores.

Des apparitions.

En rentrant il avait peint à toute allure une série d'Arthur le Fantôme. Un Arthur le Fantôme triste, malin, et finalement philosophe, Arthur le Fantôme était le drogué malade du sida que les jeunes avaient chassé de l'immeuble.

A sept heures, il en était au sixième Arthur, légèrement différent chaque fois, le téléphone avait sonné, c'était Paul, qui voulait savoir s'il avançait sur le courrier.

– J'aimerais bien pouvoir lire quelque chose demain, ou après-demain au plus tard.

Ajoutant qu'il avait parlé de lui longuement à Achille, tu sais le critique, et franchement si tu n'y vois pas d'inconvénient j'aimerais bien qu'il voie un peu ce que tu fais, qu'il nous donne son avis. L'idée d'avoir de la visite, chez lui, avec ses toiles, sa chambre et la salle à manger aux murs couverts de cadres, le branchait moyen, mais il avait quand même dit oui, je te remercie, et merci aussi pour le plan à la télé, j'ai rencontré le mec cet après-midi, le projet est intéressant.

Votre âme est noire comme de la suie et bientôt les temps annoncés par les prophéties surviendront et chacun d'entre nous sera comptable de ses actes, de sa vie et de bien d'autres choses encore.

– De rien, avait répondu Paul, c'est le moins que je puisse essayer et ça me fait plaisir.

Dans *La Vie moderne* il avait mis Gontran en bonne place, discutant avec Johnny Walker et des personnages de Sempé, sur des matelas pneumatiques, le tableau commençait à prendre tournure, la série des Arthur achevée il s'y était remis, avant de repenser aux lettres, merde les lettres, et d'abandonner son poste de travail et d'attaquer la lecture.

JE ME SENS SOUMISE ET ÇA ME PLAÎT.

CE QU'ILS M'ONT FAIT JOUIR MES DEUX ÉTALONS !

ALINE PRISE EN DOUBLE.

LES POILS DE MA COUSINE ME STUPÉFIÈRENT.

Il avait trouvé ça extraordinaire. Extra-ordinaire.

Un moment total de littérature, *Comme si de rien n'était, en ondulant un peu, j'ai collé mes fesses sur la bosse de sa verge,* et *Je l'ai prise dans mes bras en l'embrassant fougueusement, les quatre premiers culturistes avaient déjà éjaculé et je lui dis suce-le, suce le dernier,* et *Je vais t'apprendre à t'épiler et à te maquiller, quand tu fais du vélo tous les garçons voient ton petit abricot et j'aime ça,* il en avait des sueurs. Sur l'ensemble la qualité était certes inégale mais quand même, quel impact, quelle force. Une image s'imposait, les personnages du chocolat blanc, du Galak, avec le petit garçon et le dauphin, symboles des lettres, des partouzeurs. Il les avait en douceur intégrés à la toile.

Par contre les originaux, sélectionnés dans la grande enveloppe en papier kraft, avec un petit numéro identificateur, s'étaient révélés au premier abord décevants. Cinq étaient manifestement de la même main, sous des signatures différentes, Hélise, Maryse, Phillipine, Yolanda, des histoires moyennement originales. Trois racontaient des cochonneries sous un angle masculin et de manière tristement pornographique. Deux étaient des trucs de couples déjà nettement mieux, *Naturistes nous avons eu notre première expérience trioliste au mois d'août sur la dune du Pila,* et *En vacances chez un couple d'amis nous décidâmes de nous livrer aux joies de l'amour partagé,* incontestablement authentiques, maladroites et suffisamment précises pour donner matière à une bonne Lettre-Echange. La dernière lettre était tapée à la machine et dès les premières lignes il sut qu'il tenait entre les mains un O.V.N.I.

Moi, Pierrette, ai donné rendez-vous par contact épistolaire à des hommes que je ne connaissais pas, pour qu'ils me baisent et me possèdent, ceci dans le but avoué d'en tirer le maximum de plaisir, dans l'anonymat le plus total et sans gêne aucune.

Le reste détaillait la succession de rencontres, dans le bois de Clamart, à la Grande Halle de la Villette, dans un cinéma, à la piscine, dans une rame de métro. Jointe à la lettre il y avait la photocopie de la carte d'identité de la femme, comme l'exigeaient les annonces parues dans les autres titres du groupe : Nouvelle publication coquine cherche lettre-témoignage vécue, joindre une photocopie de carte d'identité ou de quittance E.D.F., en général les gens qui écrivaient oubliaient de le faire ou ne tenaient pas à livrer leur vrai nom, mais elle avait obtempéré, avec son adresse et son téléphone, et il avait failli appeler, elle habitait relativement près de chez lui, juste au bout de la ligne de bus, pas la commune limitrophe, mais celle juste après, mais aussitôt il avait repensé à son projet, aucun commerce d'aucune sorte avec les choses de la chair, et il s'était remis à peindre, tourneboulé par ce qu'il venait de lire, mais mon Dieu ces gens étaient des artistes, de véritables artistes, et quand Paul avait rappelé, alors, c'est bon, tu crois pouvoir en tirer quelque chose, il avait soupiré, oui, évidemment, je pense, vraiment sans problème.

Nous donnâmes à des porcs des mets de choix et bien évidemment ils ne surent les apprécier.

La lettre de la fille était vraiment hors du lot, une étincelle de tendresse dans un océan de brutes, ah, ah, au centre de *La Vie moderne* restait un espace encore vierge sur lequel il l'avait peinte, princesse Gwendoline avec ses longues tresses et tenant entre ses bras la fusée d'*Objectif Lune*. L'impression générale du tableau était un choc. Un choc de couleurs à deux cents à l'heure empreint de douceur. Walt Disney peint par Michel-Ange. Les apparitions bicolores illuminant l'ensemble d'une coloration mystérieuse et troublante.

Avant de se coucher, vers quatre heures du matin,

il avait écrit quelques lettres, sans trop se fouler, se contentant de mettre en forme les envois reçus, JE L'AI SODOMISÉE DEVANT SON MARI, et, ELLE CRIAIT QU'ELLE EN VOULAIT ENCORE. Pas le top du top en matière de littérature érotique, quoique..., mais en tout cas au goût de Paul, BAISSANT LES YEUX DEVANT LEUR REGARD INSISTANT ELLE ÉCARTA POURTANT LES PLIS DE SA JUPE.

Paul avait adoré.

J'ai a-do-ré.

Bravo.

Et continue.

Je crois qu'on va faire un carton avec ce titre.

Pour la sortie du premier numéro il y avait eu une fête, un cocktail, dans une boîte à partouze réputée, tu réalises une minute que l'endroit appartenait à Cocteau, dingue, non ? Il avait déambulé entre les étages, au milieu des mondains s'encanaillant, tu crois que c'est là qu'ils baisent, hon, hon, s'extasiant devant les lits surdimensionnés, les miroirs et la grande cage, leur coupe de champagne à la main et faisant bien sûr fuir les rares couples libertins authentiques égarés dans l'antre du stupre. Vers minuit, alors que la bamboula battait son plein, c'est-à-dire que tout le monde se criait dans l'oreille des stupidités, à moitié bourré, un jeune était venu s'asseoir à côté de lui et l'avait entrepris.

– Eh bien que se passe-t-il, tu t'éclates pas, t'es malade, tu fais la gueule ?

Sa maquette reprise en lettres néon s'éclairait sur le mur de la boîte.

Echange.

Echange char-.

Echange charnel.

– Barre-toi, il avait dit, tu m'emmerdes.

Le jeune en était resté comme deux ronds de flan.

Vous dansez, vous vous amusez bêtement, et sous vos pieds s'ouvre un gouffre dont vous n'appréhendez pas la béance.

Achille-Bibendum et Obus-Nichons avaient dansé un jerk, et Biche Poilue avait simulé un strip-tease.

A minuit un quart il avait profité du dernier métro pour s'échapper, la seule personne qu'il aurait bien aimé voir était l'auteur de la lettre O.V.N.I. à qui il avait envoyé anonymement une invitation, mais elle n'était pas venue.

Quelque temps après Gontran et Bibendum avaient fait le voyage jusqu'à chez lui, expédition au fin fond de la région parisienne, Obus-Nichons les accompagnait, il les avait vus se garer, se tromper de bâtiment, demander aux jeunes en bas, et l'interphone avait retenti, il les avait attendus à la sortie de l'ascenseur.

– Eh bien, avait constaté bonhomme Michelin, surprenant ! Réellement surprenant !

Tous les murs de l'appartement étaient recouverts de tableaux, de sous-verre et gravures diverses, donnant à l'ensemble une impression de musée, au quatrième d'une tour d'un ensemble H.L.M., de musée d'intérieur, collection privée de graphistes modernes, dont Paul avait approuvé la juxtaposition, bien ça, et bonne idée en association avec lui, c'est tout à fait ce qu'il fallait, chaque pièce avait une logique particulière, et il avait été touché que Paul s'en rende compte, le comprenne.

– Ça confirme exactement ce qu'on disait dans la voiture, avait énoncé Achille-Bidendum, le problème est surtout culturel avant d'être social. Mettez des intellectuels ou des artistes dans une cité de banlieue et ils la transformeront en un lieu de vie agréable et charmant.

Là-dessus ils avaient embrayé sur ce nouveau film mettant en situation des jeunes et des policiers, en banlieue, ce qui se passe en banlieue, la banlieue, banlieue, banlieue, dehors les jeunes fumaient tranquillement sur les escaliers de l'autre bâtiment et ils étaient restés à disserter sur ce problème grave, banlieue, banlieue, jusqu'à ce que Paul dise alors, on pourrait voir tes toiles, lui glaçant immédiatement le cœur, non pas d'ailleurs que le jugement de l'un ou de l'autre ait une quelconque importance à ses yeux, à dire la vérité, aucune, pas la moindre, mais leur montrer, en plus chez lui, revêtait un caractère particulier, le caractère particulier de l'effraction et du viol intime.

– Ouaaah, s'était exclamée Obus-Nichons, c'est beau, on dirait Walt Disney peint par Michel-Ange.

Et, reconnaissons-le, cette approbation lui avait fait plaisir.

Il avait sorti la série des Arthur, oh c'est marrant, ce sont tous les mêmes, des toiles plus anciennes, celle avec Mandrake le magicien et Lothar dans la grotte magique des pirates, et d'autres encore, Achille sa cigarette coincée entre les dents passait de l'une à l'autre, découpant chaque peinture du bout de son regard acéré, un peu de sa cendre était tombée sur la moquette et il avait été lui chercher un cendrier à la cuisine.

– Hun, grognait Achille, hun, hun...

Paul, qui connaissait déjà les toiles, se tenait en retrait. Obus-Nichons avait demandé où étaient les cabinets.

Il avait fait pivoter *La Vie moderne*, ça c'est la dernière que j'ai peinte, elle s'appelle *La Vie moderne*.

Il leur avait proposé un café, ou un thé si vous voulez, ils avaient encore discuté un petit peu, et puis ils étaient repartis, les jeunes leur avaient lancé une plaisanterie qu'ils n'avaient pas comprise, et à laquelle Obus-Nichons avait répondu sur le ton de la rigolade, face à *La Vie moderne* Achille s'était contenté de rallumer une nouvelle cigarette, et Paul n'avait fait aucun commentaire.

Le Bibendum Michelin.

Gontran.

Six Jumbos un peu idiots qui les regardaient passer.

Et le train fantôme.

Qui faisait tchouck-tchouck.

Emmenant Jack London.

Vers la mine des vallées perdues.

Il avait laissé les fenêtres ouvertes un long moment pour dissiper l'odeur du tabac, avait fait brûler un encens, et s'était mis à son courrier, le prochain numéro du journal allait bientôt sortir et il était impératif que les lettres soient prêtes pour le bouclage.

Alors qu'il venait juste de s'y mettre, la télé diffusait pour une fois un film formidable, *Le Voyeur*, de Jean Eustache, d'abord dans la version avec le vrai voyeur, et ensuite avec Michael Lonsdale, il n'en perdait pas une miette, rédigeant ses bêtises pendant les génériques, le téléphone avait sonné, c'était bien sûr Paul, qui s'inquiétait pour les lettres, on boucle demain tu sais et il avait dû le rassurer, ça va être bon, tu peux me faire confiance. De toute façon le lendemain il allait bosser là-bas, fidèle veilleur de nuit, j'amènerai les lettres en même temps.

– Sinon il en a pensé quoi ? il avait quand même fini par demander. Ça lui a plu ?

Il y avait eu un silence au bout du fil. Quoi qu'en ait pensé Achille il ne devait pas en être affecté. Il n'y avait aucune raison de l'être.

– Il a trouvé ça intéressant.

Dans un coin de *La Vie moderne* un des personnages avait une oreille de cochon avec une boucle. Il aurait dû retoucher légèrement la boucle, le motif était presque invisible.

– Intéressant, mais en même temps anecdotique !... Il a trouvé que ça faisait un peu pédé... Mais intéressant, réellement intéressant.

Il avait coupé le son de la télé en tournant le bouton avec le bout de son pied. Comment ça pédé ?

En fait il avait mal compris, Paul avait dit bédé. Et anecdotique. A-nec-do-ti-que. Mais intéressant. Réellement intéressant.

– Et toi tu en as pensé quoi ?

Là encore Paul avait attendu un petit temps avant de répondre.

– Je préférais ce que tu faisais avant.

Le travail qu'avait effectué Jean Eustache sur ce film était, en plus du sujet magnifique, très instructif sur la réalité et sa représentation à travers une œuvre de fiction.

– Bon, il avait dit, à demain, je viendrai avec le courrier, ne t'en fais pas.

Ça faisait presque un mois maintenant qu'il ne s'était pas branlé, ni pute ni rien, mais cette fois-ci il avait craqué, en pensant je craque bêtement, c'est idiot, Obus-Nichons était dans les cabinets et il la regardait, accroupie devant la porte, comme le voyeur du film, ses seins pointés vers le sol lorsqu'elle se baissait en avant, vite rejointe par Biche Poilue, offerte et désirante, une folie de plaisir à trois, sous le regard indifférent des sous-verre et des toiles. Après il s'était senti mieux, ou moins bien, c'était assez dur à définir, en tout cas soulagé. Il avait pris un cutter et, sans du tout s'énerver, ni conférer à l'acte un semblant de violence ou de rancœur, il avait découpé *La Vie moderne*, l'avait pliée comme il avait pu, et l'avait descendue dans le local à poubelles.

Un point provisoire à une activité vaine et sans intérêt.

En remontant il avait appelé la femme de la première lettre, la lettre O.V.N.I., grâce aux coordonnées il avait pu se procurer le numéro, il avait entendu allô, allô, qui est là, il avait failli se présenter, et dire c'est moi, *Echange*, le magazine, lui raconter un bobard, inventer une interview, mais en fait il avait raccroché, et s'était rebranlé, avant de réattaquer le courrier.

Qu'est-ce qui définissait une œuvre d'art ?

Le regard que l'on portait dessus ? L'appréciation et l'écho qu'elle éveillait chez l'autre ? Ou son existence propre ? Sa logique interne et sa luminosité ?

Les lettres fonctionnaient à partir de situations diverses, en général plus ou moins répétitives, avec des mots précis, la cyprine, pilosité, fessée, le souffle qui s'accélère, je la découvre, son bassin ondulant lascivement, ses lèvres vulvaires toutes humides, et des jambes avec un galbe parfait, des jupes sexy et ses cheveux d'un noir de jais qui encadraient un visage sage et innocent.

A trois heures du matin il y était encore, cinq lettres, cinq lettres parfaites et totalement justes.

Sur le lot quatre étaient vraiment formidables, des bonnes lettres, érotiques et légères, allant droit au but dans un style impeccable. La cinquième était une merveille, encore mieux que la lettre O.V.N.I. reçue la première fois.

Une perle rare. Les émois d'une gamine de seize ans racontant ses envies et fantasmes. Rien qu'en la relisant, il en avait une érection. Un joyau brûlant présenté incognito à la face d'un monde aveugle.

Il était parti au boulot sans se coucher, les lettres dans un sac en plastique Carrefour, la même histoire lui trottant dans la tête depuis quelques jours, un saint homme passa sa vie à léviter, mais comme il ne voulait en aucune manière gêner ses contemporains il lévita discrètement, en permanence, certes, mais de quelques millimètres seulement.

– Pas mal, avait dit Paul, j'aime bien celle où la vieille se fait baiser par les adolescents.

Et les lettres étaient parties à l'imprimerie.

Babar, et Céleste dansant maladroitement un tango avec le général Alcazar.

Dans un autre monde, avec Pinocchio, la Marsupilamette et un soleil de plusieurs couleurs, comme dans une série de science-fiction des années cinquante.

Au matin il n'avait toujours pas dormi, avant de rentrer il avait fait un crochet par le B.H.V., pour acheter un cadre et une toile.

Un artiste.

Un grand, un authentique artiste.

Arrivé chez lui, il avait bazardé le double des lettres, la collection d'*Union* et *Couples* qui lui avait servi de modèle et de référence, et comme il n'avait toujours pas sommeil et qu'il était trop tôt pour envisager une sortie, tranquillement, il s'était remis à peindre.

L'Espace entre les automobiles.

Une fresque magnifique sur la vibration profonde de la ville.

Ses bruits.

Et ses couleurs.

Dehors le temps semblait vouloir se mettre au beau.

Il allait peindre un chef-d'œuvre.

Beaucoup d'histoires épouvantables

– Non, il avait dit, fermement, d'un ton proche de l'agacement, j'ai aucune envie d'y aller, de toute façon je ne crois pas en Dieu, on en a déjà parlé cinq cent mille fois et puis cet après-midi je ne peux pas. Cet après-midi je travaille.

Mais elle avait insisté revenant à la charge, usante, inépuisable, comme l'eau sur la digue un jour de grand vent, fatigante, tu me fatigues, il avait envie de dire, tu me fatigues avec tes fariboles, mais il s'était contenu. O.K., d'accord, c'est noté, la prochaine fois je viens, tu as raison, il ne faut pas avoir d'a priori, promis j'essaierai de venir.

Il avait raccroché et s'était préparé pour une sieste. Une bonne sieste, après un bon casse-croûte, en fait c'était son jour de congé, pas de travail aujourd'hui, une sieste, peinard, et certainement pas des bondieuseries où sa sœur et sa mère voulaient le traîner depuis des mois, des êtres rares, des êtres étonnants, la Nouvelle Eglise du Christ Charismatique, ou quelque chose d'approchant, ils se réunissaient au Grand Rex le dimanche matin, et d'après ce qu'il en savait c'était sornettes et compagnie.

Dire que sa mère avait milité trente ans au Parti,

déléguée C.G.T., anticléricale à fond, un pilier de défilé du 1er Mai, et maintenant c'étaient des êtres rares, des êtres étonnants, il s'était vaguement renseigné sur cette histoire de Nouvelle Eglise et, ma foi, il n'y avait rien dans un sens ou dans un autre, vraisemblablement une assemblée d'allumés comme l'époque en générait, pas d'histoires louches ou d'argent bizarre, pas exactement une secte, plutôt un truc pour paumés.

Sa sœur avait commencé à y aller, elle avait rencontré un Nouveau Christ, et ensuite sa mère avait suivi. J'ai retrouvé la foi tu sais, je redécouvre la vie.

Il avait piqué son petit roupillon peinard, le téléphone décroché, au cas où par hasard elles auraient dans l'idée de rappeler, pas de ça Lisette, Dieu est bien où il est et laissez-moi dormir.

Sa sœur avait toujours été un peu étrange, fantasque, sujette à ce genre de choses, l'astrologie, ou les tarots, ou suivre les conseils d'un voyant, rien d'étonnant à ce qu'elle se soit laissé embobiner par le premier gourou venu.

Tutulut avait fait la sonnette, tutulut, plusieurs fois, il avait ouvert les yeux en se disant merde, comment le téléphone peut-il sonner alors que j'ai décroché le combiné, mais c'était la sonnette de la porte d'entrée, sa mère, sa sœur, et un type qu'il n'avait jamais vu, j'étais sûr que tu étais là, je le sentais, ça va, tu ne nous fais pas entrer ?

Il était enrhumé, il avait été chercher du sopalin dans la salle de bains, les trois derrière lui, pénétrant son intimité, alors pour finir tu n'as pas travaillé, non pour finir je n'ai pas travaillé. Il s'était vaporisé du médicament, en accentuant exagérément ses reniflements, excusez-moi, je suis malade, j'ai une tête comme ça.

Sa chambre n'était pas immense, un studio, au sixième d'un immeuble moderne, presque une tour, ils avaient pris place, sa mère dans le fauteuil et sa sœur et le Nouveau Christ sur le canapé, qu'il avait été obligé de replier.

– J'ai beaucoup parlé de toi à Jean-François, il avait très envie de te rencontrer.

Il avait eu une semaine fatigante, une semaine chiante.

– Jean-François est quelqu'un qui compte beaucoup pour nous. Jean-François appartient à l'Eglise du Nouveau Christ Charismatique.

Un de ses collègues s'était cassé la jambe et l'autre avait pris des jours de récupération, il avait eu deux constatations de décès la même nuit, qui lui avaient laissé une impression assez désagréable.

– Votre mère m'a dit que vous étiez policier ?

Il avait sorti des tasses du petit placard, une des paumelles de la porte était dévissée, des tasses en verre avec des motifs arabes qu'il avait achetées gare du Nord au début de son installation à Paris. Oui, il avait dit, essayant d'être courtois, je suis policier.

– C'est un métier particulier.

Oui, il avait approuvé, que dire d'autre, c'est spécial.

Il avait envie qu'ils s'en aillent.

Il avait envie de les voir partir.

– La lecture des Evangiles peut être quelque chose d'extrêmement réconfortant, d'extrêmement pertinent.

Ah il avait dit, ah et puis encore une fois ah, oui, après tout c'était peut-être une sorte de secte, avec des mœurs bizarres, des trucs comme on voyait parfois, des histoires de cul invraisemblables.

Peut-être que le Nouveau Christ baisait sa sœur. Eh mec, merde, tu baises ma sœur ou quoi ?

– Bien sûr nous avons tous une expérience souvent négative, convenue, voire ennuyeuse, de la Bible et des Ecritures.

Le premier macchabée était dans une H.L.M. sur les extérieurs, une H.L.M. en brique des années trente, le car de police secours stationnait devant la grille, le képi n'était même pas descendu de l'estafette, c'est là-haut, au deuxième, j'espère que vous avez une lampe, l'électricité est coupée, il est juste dans l'entrée. Il avait dû retourner à la voiture chercher une torche, qui avait bien entendu refusé de s'allumer, les piles devaient être mortes, il avait buté sur le corps sitôt la porte ouverte, une voisine était sortie et avait dit quand même, quel malheur, on croyait qu'il était parti chez ses enfants. Il avait fait ses constatations à la lueur d'une bougie. « Nous sommes rendus sur place à zéro heure quinze et constatons le décès d'une personne de sexe masculin âgée d'environ soixante ans... » L'appartement sentait le vomi et le renfermé, plus l'odeur du cadavre, l'appartement sentait la mort.

– Jean-François te propose d'assister à une séance de lecture commentée, c'est en général une expérience enrichissante à plus d'un titre.

Plus tard, il avait réintégré le commissariat. Le gars de permanence avait dit il y a un autre macchabée, je suis désolé, mais il faudrait que tu y ailles, et il avait répondu c'est bon, me charrie pas, je viens déjà de me faire un vieux qui avait mis de la merde et du vomi partout, j'ai ma dose pour ce soir, mais l'autre avait insisté, je suis désolé, mais on vient d'avoir un appel, les voisins rentrent de vacances, il y avait une odeur épouvantable, ils sont entrés avec le gardien et la personne est effectivement décédée.

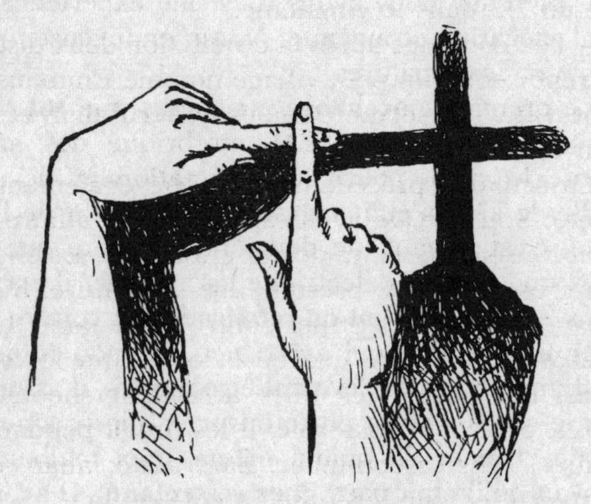

Il était probable que le Nouveau Christ baisait sa sœur.

– A quatre heures du matin, ils ont mené l'enquête à quatre heures du matin ?

Il avait dû repartir avec une jeune stagiaire, et sur place la femme était bien sûr morte, mais en plus en début de décomposition. Il avait touché sa tête en voulant la retourner et le crâne lui avait explosé dans la main, il y avait plein de cervelle sur ses gants en plastique, la stagiaire avait rendu tout son dîner. De la merde, des morts, et du vomi, voilà mon lot.

– Votre café est excellent.

– Oui, avait ajouté sa sœur, il est très bon.

– C'est du Lavazza ?

– Non, du Grand'Mère.

Il avait été le premier à venir habiter la capitale. Ensuite sa sœur était venue, et à la mort de leur père, sa mère l'avait rejointe, elles habitaient ensemble un F 3 dans le vingtième.

– Peu de temps après la crucifixion deux disciples se rendirent à un petit village nommé Emmaüs, distant d'environ soixante stades de Jérusalem et Jésus leur apparut.

La semaine précédente avait été également fatigante. Son service avait fait une belle affaire. Une histoire scabreuse, un dealer qui baisait ses clientes. Un gros, un vieux, presque une caricature, habitué à sauter les petites jeunes contre de la came. Lui ne prenait pas d'héro, que de la coke, qui le rendait quasi insensible. Les filles arrivaient shootées, et après, crac, à la casserole, il les limait pendant des heures, sans discontinuer, han, ahan, ahan, en se filmant avec une V 8 posée à côté du lit.

Un porc.

Un porc répugnant.

– Jésus avait empêché leurs yeux de le reconnaître, il leur demanda pourquoi ils étaient tristes.

Les filles se faisant leur shoot, quelque chose de conséquent parce que sur les films on les voyait piquer du nez, puis se mettre à genoux, en levrette, souvent même pas déshabillées, juste le jean ou le collant baissé, et le porc les sautait des heures et des heures. La V 8 enregistrait.

Il avait une sorte de masse entre les sinus, pas exactement une migraine, plutôt deux points sensibles et un peu douloureux.

– Au bout d'un moment Jésus se dévoila et leur dit : « Ô hommes sans intelligence, et dont le cœur est lent à croire tout ce qu'ont dit les prophètes, ne fallait-il pas que le Christ souffrît ces choses et qu'il entrât dans sa gloire ? »

– Un autre café ? il avait demandé, quelqu'un en reveut ?

L'autre continuait ses bêtises, Jésus après rompit le pain et les deux disciples l'avaient reconnu alors sans l'ombre d'un mini-doute, et Jésus avait de nouveau disparu, ils étaient repartis dare-dare à Jérusalem annoncer la bonne nouvelle.

– Avec joie, s'était interrompu Jean-François, il est vraiment excellent.

Il avait un accent anglo-saxon, peut-être américain, ou australien. Bon nombre d'illuminés étaient souvent originaires de ces pays-là. Aux Etats-Unis les sectes étaient une entreprise quasi nationale.

Sa mère souriait en l'écoutant. Il s'était encore demandé s'il sautait sa sœur. Oui.

Oui à soixante-quinze pour cent.

Ils avaient eu le renseignement par un client mécontent. Le porc avait déjà un pedigree chargé. Des affaires de came, coups et blessures sur un policier, port d'armes, deux v.m.a., évadé du C.D. de Caen en 89. Une belle affaire. Ils avaient trouvé une grosse quantité de drogue, des armes, dont un fusil à lunette et un pistolet-mitrailleur, et une carte de police volée à un collègue. Et aussi des cassettes. Des cassettes enregistrées sur le caméscope.

– Merde, avait dit le principal, ce sont des films porno.

Ils étaient tombés sur celle avec la fille presque tout de suite. Un coup de chance parce que sinon il n'est pas dit qu'ils auraient eu l'idée de tout visionner.

On voyait le salopard commencer à limer, le préservatif ajusté au bout de sa bite de porc, la fille avait l'air inerte, en position, comme un grand canard tout maigre, désarticulé, il y avait même le son, des grognements et le bruit du ventre cognant sur les fesses, han, han.

Un écœurement.

– Toutes ces anecdotes peuvent sembler banales, sans grand sens aujourd'hui, dans ce tourbillon un peu fou qu'est devenu le monde.

L'image effarante c'est quand l'ordure se rendait compte que la fille était morte, elle devenait toute molle, s'affaissait, il l'avait pincée plusieurs fois, sa tête avait pris un angle bizarre, le monstre continuait, s'arrêtait, reprenait, en la repinçant, ho ! tu dors ? ho ! en lui donnant des claques sur les fesses et sur les seins, avant de vérifier si elle respirait encore, de coller son oreille sur son cœur, sans résultat, et là s'était déroulé le pire des films de cauchemar. Il s'était remis à bander, avait changé de préservatif, et il avait baisé le cadavre, comme un dingue, comme un damné, et il avait joui, en râlant, longtemps, son plaisir enfin assouvi.

– Je suppose que vous dans votre travail, il doit vous en arriver de toutes les couleurs.

– Oui, il avait répondu, effectivement, on voit beaucoup d'histoires épouvantables.

Ils avaient continué à essayer de le convaincre, venir ne serait-ce qu'à une réunion était un bienfait certain, tant et si bien qu'au final il avait dit oui, d'accord, je viendrai et ils avaient fini par dégager.

Dehors il pleuvait et les nuages étaient noirs, la couleur du ciel une fin d'après-midi à Paris en hiver. On entendait la télé des voisins à travers la cloison.

Il était retourné dans la salle de bains se vaporiser de l'inhalateur. Si cette petite infection ne passait pas il allait être obligé de prendre des antibiotiques et, ça, il n'aimait pas du tout, les antibiotiques c'était contraire à ses principes.

Le pigeon taquin qui chiait sur la tête des gens

Il l'avait remarqué depuis un moment, l'oiseau prenait son envol, effectuait dans les airs une courbe gracieuse, de manière à se positionner au-dessus de sa cible, et hop, après un petit battement d'ailes, se délestait de sa cargaison sur l'infortuné qui avait la malchance de se trouver là, victime innocente du sort livrée à la vindicte d'un pigeon, en plein Paris, rue des Martyrs, à deux pas de la place Pigalle et de ses cafés, Aux Noctambules et La Nuit.

La première fois il avait cru à un hasard, merde t'as vu, le pigeon vient de lui chier sur la tête, mais comme le bombardement s'était reproduit, force lui avait été de constater qu'il s'agissait non pas d'un accident malheureux, mais d'un acte mûrement réfléchi, sciemment pensé, fomenté par un oiseau pris d'une folie vengeresse, d'une frénésie guerrière, et suffisamment fin stratège pour arroser de ses déjections un nombre conséquent de passants à la demi-heure.

Ils étaient en train de discuter des nouveaux progrès de la science, des trithérapies, et puis de la vache folle et de son effarante épidémie, les vaches étaient devenues cinglées, elles bavaient et perdaient l'équilibre, leur cerveau ramolli devenait spongieux, détraqué, triste pathologie due à quelque chose d'effroyable, quelque chose qui dépassait l'entendement et faisait froid dans le dos, on avait rendu les vaches carnivores.

– Ce qui est tout de même fou c'est que juste au moment où ils trouvent quelque chose, un autre truc démarre.

Il avait hoché la tête, opinant sans répondre, un peu plus loin, venant d'Anvers, un homme-sandwich avançait péniblement dans la chaleur, et il avait pensé que le gars devait en baver, homme-sandwich par ce temps, l'atmosphère était étouffante, plus de trente degrés, il n'aurait pas aimé être à sa place.

– C'est pas la peine de nous bassiner avec le sida si dès qu'on trouve une solution on nous sort un autre machin tout aussi mortel.

Cette fois-ci il avait approuvé plus franchement, certes, certes c'est certain, mais est-ce que les trithérapies allaient vraiment tout changer, était-on vraiment sûr de leur efficacité ? En même temps qu'il posait la question il avait l'image des vaches avançant en troupeau, les dents sorties de leur mufle baveux, dans une expression de vampires à l'affût, chargeant mâchoires en avant, les yeux voilés d'une expression hagarde, des vaches folles et, derrière, des cow-boys maléfiques chevauchant leurs noires montures, d'horribles guardians porteurs de nourriture contaminée, de cadavres pourrissants dont se nourrissaient les bêtes.

– Bien sûr que oui c'est efficace, s'ils bazardent pas encore les traitements à tout le monde c'est à cause du pognon, ils veulent les réserver aux riches, c'est tout.

Au moins, avec la vache folle la démocratie serait-elle, on pouvait le supposer, préservée, les nantis n'étaient pas les derniers à manger des steaks.

Par moments il se demandait ce qu'il faisait là, et quel était le sens de sa vie.

Aucun.

Zéro.

Ou un sens particulier.

Il avait beau venir depuis des millénaires, par moments, c'était plus fort que lui, il se demandait ce que signifiait tout ce bordel.

Rien.

Ou un sens particulier.

Je viens sur cette terre depuis des millénaires et ma vie a un sens particulier.

– A quoi tu penses ? s'était inquiété son pote. T'es pas d'accord que c'est injuste qu'ils se foutent de notre gueule ?

Un groupe d'adolescents remontaient la rue en se chamaillant, le pigeon paraissait étudier la situation, calmement, soupesant la vitesse du vent et les courants contraires, puis, trouvant certainement les conditions suffisamment favorables, il s'était lancé, avait survolé dans une arabesque parfaite ses jeunes victimes, et plouf, les avait aspergées de son fiel.

Même pour quelqu'un qui avait son expérience, des millénaires de vies successives, un itinéraire remarquable à travers les âges du monde, c'était un spectacle hors du commun.

Un pigeon taquin qui chiait exprès sur la tête des gens.

– Je n'en sais rien, peut-être n'ont-ils réellement pas assez de médicaments du premier coup.

Le pigeon semblait prendre son envol selon un rituel extrêmement précis.

Il avait incarné des personnages illustres, des rois, des grands artistes, et aussi des pauvres types. Des minables.

Des gens comme tout le monde.

Des gens susceptibles de se prendre une fiente de pigeon sur la tête, des gens ordinaires.

Son pote avait digéré sa réponse en buvant une gorgée de bière, de la bière fraîche qu'ils avaient été acheter au Shopi. Je crois que t'es dans l'erreur complète, je crois que tu réalises pas ce qu'est une multinationale pharmaceutique, ils ont des intérêts en jeu, et ces intérêts sont plus forts que tout.

De repenser à toutes ces vies qu'il avait vécues il avait comme un coup de mou, une légère fatigue.

– Justement, leur intérêt c'est de vendre des médicaments, pas de se défausser.

L'homme-sandwich avait l'air épuisé, un clochard lui avait proposé une gorgée de Coca-Cola qu'il avait acceptée en s'épongeant le front, sur le panneau publicitaire on pouvait lire : « Tenez-vous prêts. Bientôt l'avènement d'Ouros. » Il s'était fait la réflexion que le type ne craignait pas une contagion éventuelle, boire à la bouteille du clochard tout le monde ne l'aurait pas fait, peut-être était-il immunisé, ou inconscient, ou alors protégé par Ouros.

Il avait essayé de se rappeler si le nom lui disait quelque chose, Ouros, c'était plus ou moins un truc mythologique, un truc grec ou égyptien, mais sans succès, ça restait flou dans sa mémoire.

La question qui restait posée c'est ce qu'on allait faire de ces vaches. Les tuer toutes représentait un travail colossal, les tuer et puis les brûler, comme un holocauste gigantesque destiné à une divinité inconnue, non identifiée, mais dont la présence sournoise envahissait l'espace et les consciences, apaisons-la ou nous sommes fichus. L'homme-Ouros était maintenant tout près, il leur avait jeté un petit coup d'œil, il restait une place sur le banc, quoique avec le panneau qu'il avait dans le dos ce n'était pas évident qu'il arrive à s'asseoir.

– En tout cas, avait dit son pote, ça craint, ça fait dix ans que je m'habitue à l'idée que je vais crever, si les nouveaux médicaments sont vraiment efficaces il va falloir que je rechange complètement de mentalité.

Oui, il avait répondu, oui, c'est sûr, à moins effectivement que la vache folle nous ait contaminés. Le pigeon surveillait discrètement un vieux qui descendait tranquillement. Il avait même incarné des tyrans, des monstres, une de ses précédentes incarnations figurait en bonne place dans le top ten des gros salauds universellement reconnus. Qu'allait-il rester de nous une fois tout ça disparu, difficile d'en avoir une idée.

– Tu te rends compte du nombre de gens qu'on considère comme des morts potentiels et qui vont ressusciter ?

Il avait encore dit fais gaffe, fais gaffe de pas te faire de fausses joies, si ça se trouve les nouveaux médicaments ne sont pas encore efficaces cent pour cent. Les nouveaux médicaments diminuaient la charge virale mais on ne savait pas très bien si c'était de manière durable ou pas. A la sortie du métro on voyait des affichettes annonçant les titres des journaux placardées sur les côtés du kiosque. Il y avait eu sept moines zigouillés dans un pays du Maghreb, il s'était fait la réflexion que c'était comme les sept Eglises de l'Apocalypse, les sept Eglises auxquelles s'adressait saint Jean. Est-ce que quelqu'un avait déjà eu l'idée de mettre le monde en équation :

$$\frac{(\text{la place Pigalle} + \text{trithérapies}^{2} - \text{sept moines assassinés})}{(\text{un pigeon vindicatif})} + \sqrt{(\text{les gens marchant dans la rue}^{10} + \text{l'Apocalypse})} - (\text{un sentiment de fatigue et des lumières la nuit dans la ville}) \times Z = X$$

Certainement que oui, certainement que oui mais ça n'avait rien donné.

– Est-ce que je pourrais vous parler cinq minutes d'Ouros ?

Ouros multiplié par le virus du sida duquel on retranche la valeur ajoutée de la moyenne des variations saisonnières, l'ensemble étant divisé par le nombre de vies qu'on avait passées sur Terre. Peu de temps auparavant il avait pris un taxi dont le chauffeur était convaincu que c'était le Diable qui gouvernait le monde, qu'il avait réussi à prendre le pouvoir et personne ne s'en était aperçu et sur le moment il avait opiné distraitement.

– Ouros parle du bien comme du mal, comme deux choses exactement semblables ayant besoin l'une de l'autre pour se réfléchir.

Son copain avait fait pssch, pssch, barre-toi, barre-toi, sans même se donner la peine de répondre, mais le gars ne s'était pas démonté et avait voulu savoir ce qui leur faisait penser qu'Ouros n'était pas un sujet majeur et digne d'intérêt.

– Je suis sceptique, il avait fini par dire, je suis sceptique de nature et de toute façon je ne crois pas en Ouros.

Le gars s'était éloigné par la rue des Martyrs, le pigeon l'avait survolé mais sans rien tenter, Ouros créant peut-être autour de son agent une aura anticrotte. Son pote avait rallumé son bout de cigarette roulée qui venait de s'éteindre, et ils étaient restés dans la chaleur de l'été, à profiter du bruit et des gaz d'échappement, des gens qui passaient et des sujets d'actualité, tranquillement, comme des vieux pépères déjà un peu fatigués, l'un plein d'espoir sur les trithérapies mais inquiet tout de même de savoir s'il conserverait son allocation Adulte Handicapé, et l'autre à moitié cinglé se prenant pour une réincarnation et songeant à l'Apocalypse.

Je veux une vie tranquille

Il n'avait aucun souvenir d'enfance, rien, pas même une image, ou des situations, ou quelque chose de vague qui aurait pu le raccrocher à un passé, à une histoire, rien, une sorte d'amnésie, comme s'il avait débarqué un jour du néant, c'est ce qu'il pensait souvent, du néant, je viens du néant, le seul truc qui l'effleurait vaguement c'était une scène de nuit, une nuit d'orage, où quelqu'un lui montrait les éclairs, regarde, les éclairs font boum, d'une voix où l'on sentait la peur, dans une maison isolée, et c'était la voix d'une fille, c'était la seule et unique petite lueur qui le traversait parfois. J'ai dû regarder un orage un soir dans une maison isolée et la femme, ça devait être ma mère, ma mère ou bien une autre femme, mais il préférait quand même l'idée que ce soit sa mère, ça le rassurait.

Le métro était bondé et il avait de la fièvre. Sa femme avait insisté pour qu'il prenne sa température mais il avait refusé. De toute façon il ne pouvait pas remettre le rendez-vous. Ce n'était pas possible. Il devait avoir au moins quarante, peut-être plus, la seule fois où il avait été aussi mal, c'était quand il avait eu une pneumonie, dix ans avant, à l'hôpital de Fresnes.

Le rendez-vous était de la plus haute importance, c'était la touche finale d'un plan savamment organisé qui ne pouvait pas foirer, il était hors de question que ça foire, c'était ce qu'il se répétait, à certains moments il était totalement détendu et confiant, et à d'autres, certainement à cause de la fièvre, il était plus crispé. Il avait fait vingt-deux ans de prison et il était supra-intelligent.

Je suis supra-intelligent.

Supra-intelligent.

Avant de partir il avait relu les poèmes héroïques de l'*Edda* et la saga des Völsungs, et aussi Fernando Pessoa, malgré la fièvre, malgré la fièvre et l'anxiété qui le gagnaient.

Bientôt le souverain lui offrit l'occasion de combattre.
Le prince comptait quinze hivers
Lorsqu'il envoya à la mort l'audacieux Hunding
Qui longtemps avait dominé les terres et les gens.

Il avait connu la prison très tôt, pour des délits plus ou moins importants, vol, escroquerie, recel, fausse monnaie, dix ans qu'il avait faits par petits bouts, il avait eu le temps de se marier entre ses peines, avec la fille de sa nourrice, plus jeune que lui de cinq ans. Et la dernière fois, il avait pris quinze ans. Des gars qu'il connaissait avaient enlevé un industriel et il avait prêté son garage, le garage de la maison de la nourrice dont ils avaient hérité, pour séquestrer le kidnappé. Avant de se faire sauter comme des imbéciles par l'anti-gang, les gars avaient eu le temps de couper les deux oreilles à leur otage. Ils avaient pris la perpétuité et lui quinze ans, dont il avait fait douze, plus les dix de ses précédentes condamnations, ça faisait vingt-deux. Vingt-deux ans de prison.

Qui peut survivre à vingt-deux ans de prison ?

Peu après l'arrestation il était tombé malade, d'abord des malaises et après de la fièvre, encore plus fort qu'aujourd'hui, une fièvre terrible, il avait été transporté à Fresnes d'urgence, entre la vie et la mort, et en fait c'est ça qui s'était passé : il était mort. Mort ou assimilé, quand il était revenu à lui, il l'avait pensé, je suis mort, et plus rien n'a la même importance, il avait regardé le médecin, la cellule de l'hôpital, la perfusion, la réalité lui apparaissait d'un seul coup pour ce qu'elle était, une image provisoire et sans grand intérêt, mais malgré tout nécessaire et obligatoire.

Je suis mort et plus rien n'a d'importance.

Peu après, il s'était détaché de ses amis, au procès il était resté impassible et même parfois presque distrait, pas franchement apathique, ni complètement indifférent, évidemment il aurait préféré prendre moins, huit ans, c'est à ça qu'il s'attendait, pas à quinze, mais la vérité c'est que dans le fond il avait du mal à s'intéresser.

A Châtelet d'autres gens étaient encore montés, la rame était bondée et il pouvait sentir l'haleine de la fille à côté de lui, un mélange de café, de cigarette et d'alcool, elle avait dû boire au réveil, une poivrote, et celle d'à côté puait le parfum. Les odeurs étaient réelles et le ramenaient à l'existence du monde, à sa véracité matérielle indéniable.

Le mec sur la banquette de gauche puait des

pieds, insoutenable, peu de temps avant sa femme avait vu quelqu'un se masturber un matin, au vu et au su de tous, sur la ligne porte de Clignancourt-porte d'Orléans, elle l'avait fait remarquer à ses voisins mais sans susciter de réactions particulières.

Il avait la sensation d'une succession de portes qui s'ouvraient et se refermaient, à travers les méandres d'un couloir sombre dans lequel chaque matériau aurait eu la consistance du caoutchouc, un caoutchouc dur comme de la pierre.

Après cette mort il lui avait fallu un petit temps de réacclimatation, comme un naufragé fraîchement débarqué regardant un peu méfiant sa nouvelle planète, les us et coutumes et les gens y vivant, et puis il avait commencé à passer des diplômes. Je suis supra-intelligent et j'ai une volonté d'airain. Il avait changé de rythme, s'était mis au sport, à la lecture, et il avait continué avec ses copains, mais uniquement dans le but de donner le change, presque par politesse, se mêlant juste ce qu'il fallait aux conversations, et il avait attaqué, le bac d'abord, qu'il avait eu péniblement, puis des licences et des maîtrises.

Je suis supra-intelligent et rien ne peut plus me toucher ; est-il encore possible d'affecter en quelque manière que ce soit un homme déjà mort ? Au bout d'un moment il s'était spécialisé en économie-gestion, Edmond Dantès remontant spectaculairement la pente, s'évadant du château d'If et revenant, riche et craint des puissants, contempler sa vengeance.

A vrai dire il n'avait aucune envie de se venger ou quoi que ce soit de ce genre, il était réellement entièrement détaché de tout, froid et bienveillant en même temps, mais sans passion particulière.

Quand il était sorti il avait en tête un plan précis et simple, il allait travailler, intégrer une grosse entreprise à un poste de haute fonction. Il était supra-intelligent et rien ne pouvait briser cet élan, il le savait.

Pendant le mois qui avait suivi sa libération, il avait préparé son projet, soignant chaque détail, ne laissant rien au hasard, et aujourd'hui il avait rendez-vous pour la deuxième fois dans un cabinet de recrutement.

Il connaissait tout : le cours des actions, les tendances du marché, les noms de ceux qui comptaient comme ceux des obscurs, les mutations, ce qui était en hausse, ce qui était en baisse, les détails du capital de telle entreprise et la restructuration dont sa concurrente avait fait l'objet, en dix ans il avait eu tout le loisir de se documenter. Il était censé arriver d'Argentine, ponte occulte d'un immense consortium, souffrant du mal du pays, consortium existant réellement et appartenant au cousin d'un Sud-Américain échoué à la Santé. Si on prenait des renseignements là-bas, quelqu'un répondrait que oui, on voyait très bien qui était monsieur Häss, qui avait d'ailleurs laissé un excellent souvenir, et l'image d'un homme, mon Dieu, mais la compétence même, la rigueur, le sens de l'entreprise, et une fulgurance pour sentir les tendances, nous le regrettons beaucoup, en tout cas saluez-le de notre part. Monsieur Häss existait réellement, seulement il était retourné en Alsace et lui en sortant s'était confectionné des faux papiers à ce nom. Par moments il avait l'impression d'être un personnage de roman, monsieur Ripley organisant les détails de sa nouvelle vie, et adieu Dickie Grennlaff.

Il avait fait vingt-deux ans de prison et il était supra-intelligent.

Adieu Dickie Grennlaff, vingt-deux ans de cauchemars et l'ombre du château d'If.

Dans le couloir du métro il régnait une atmosphère tellement lugubre que l'on aurait pu croire tous ces gens, debout sur le tapis roulant, en route pour les contrées sombres et glaciales d'un au-delà terrifiant, il avait pris la correspondance pour le pont de Levallois.

Le matin en écoutant la radio il était tombé sur une histoire de camp de concentration, un truc abracadabrant d'un religieux déporté à Dachau, et qui, sentant la mort venir, il était tuberculeux et vraisemblablement à bout, avait souhaité être ordonné prêtre. Dans le bloc où il se trouvait, le bloc 3 avait souligné le présentateur, il n'y avait que des religieux, des curés, des moines, un évêque, l'évêque de Clermont-Ferrand, et tous bien sûr s'étaient mis de la partie pour satisfaire cette dernière pieuse volonté, seulement, seulement, et c'est là que la scène prenait une tournure quasi fantasmagorique, c'est que l'ordination d'un prêtre demandait un rituel particulier, avec des ustensiles précis, des croix, des ciboires, des cierges et tout un bazar religieux qui évidemment faisait gravement défaut dans le pauvre bloc 3 de Dachau, camp de concentration. Ils s'étaient donc mis à les fabriquer avec les moyens du bord, les modestes moyens du bord, ils avaient une mitre en carton, les ciboires étaient des conserves, la chasuble des torchons cousus, et le crucifix des bouts de planches arrachées du baraquement, un Christ avait même été sculpté avec de l'argile récupérée dans la boue du chemin d'accès, il fallait faire vite car le malheureux était moribond.

Bizarrement il se sentait rempli d'une compassion profonde pour ce pauvre type mourant obsédé par l'idée de devenir, malgré toute cette situation épouvantable, un vrai prêtre devant Dieu, un serviteur officiel d'une religion impuissante à éviter un tel massacre. Oui, une compassion vaguement incrédule et teintée de pitié. Le pape devait, paraît-il, le béatifier, grand bien lui fasse. Il avait émergé à l'air libre au terminus, à pont de Levallois. L'endroit, qu'il connaissait comme une semi-zone avec de vagues entrepôts et des immeubles lépreux, s'était transformé en un quartier d'affaires apparemment très couru, avec des immeubles en verre et en acier, d'inspiration vaguement antique, qui semblaient jaillis des profondeurs de la terre sous l'effet de quelque secrète magie.

Ça lui faisait penser au Rubik's cube. Avant qu'il tombe en prison la dernière fois, tout le monde jouait au Rubik's cube, ils en avaient même donné un à l'industriel pour lui faire passer le temps. La police l'avait d'ailleurs mis sous scellés et ce cube de couleur avait trôné pendant tout le procès sur le bureau du greffier.

Les immeubles étaient des Rubik's cubes qui auraient enflé, se seraient boursouflés et répandus le long des quais. Des Rubik's cubes bizarres à grande échelle dont l'organisation lui échappait.

Il se sentait plus énervé qu'il n'aurait dû. Le cabinet de consultant était dans une des émanations, une semi-tour, mais pas non plus un building, un immeuble moderne, voilà, ni plus ni moins, avec des vigiles dans le hall et une paire d'hôtesses devant un comptoir qui avaient pris ses papiers et l'avaient annoncé, après lui avoir remis un badge, était-ce juste une question de décorum ou bien une paranoïa galopante s'était-elle emparée de l'ensemble de la ville ? Dans l'ascenseur pour se calmer il s'était récité un passage de Pessoa, Pessoa avait été un compagnon fidèle au cours de ces années, un compagnon de choix.

Je sais que je me suis éveillé, et que je dors encore. Mon corps ancien, recru de ma fatigue de vivre, me dit qu'il est bien tôt encore. Je me sens fébrile de loin. Je me pèse à moi-même, je ne sais pourquoi...

Le cabinet était au quatrième, l'ascenseur avait stoppé au deuxième, puis au troisième, embarquant chaque fois des gens employés dans l'immeuble.

Un vent plein d'ombres souffle la cendre de projets morts sur ce qu'il y a d'éveillé en moi. D'un firmament inconnu tombe une rosée attiédie d'ennui. Une angoisse immense et inerte manipule mon âme de l'intérieur, et confusément me change, comme la brise change le contour de la cime des arbres.

Il s'était aperçu que sa femme lisait *Détective* et cette constatation l'avait peiné, oui, peiné était le terme juste. Vingt-deux ans de séparation forcée n'avaient pas amoindri son attachement, elle n'avait jamais raté un parloir, digne et courageuse dans l'adversité, quand une voisine lui demandait des nouvelles elle disait non, Pierre est toujours à la maison d'arrêt, ou en centrale, ou en C.D., et ne l'avait jamais trompé, lui arrachant malgré lui en son for intérieur une réflexion cruelle, à sa place il ne se serait pas gêné, il fallait être bien bête pour rester aussi longtemps sans homme. Pour *Détective* il lui avait fait la remarque, mais comment peux-tu lire des conneries pareilles et ça l'avait vexée. Depuis sa sortie il y avait un fossé entre eux, une affection profonde mais un fossé aussi. Elle se sentait complexée, infériorisée, elle lui avait avoué, il était devenu trop intelligent, trop instruit pour elle. Elle avait arrêté d'acheter *Détective*, mais en fait il s'était rendu compte qu'elle continuait, en cachette, à le dévorer chez une voisine. VIOLÉE ET ÉTRANGLÉE À LA SORTIE DU DANCING. LE SECRET DU PLUS VIEUX CHIEN DE FRANCE, C'EST L'AMOUR. LES ENFANTS DU DIABLE DÉVORENT LA GRAND-MÈRE INDIGNE.

La secrétaire lui avait dit, vous patientez une seconde s'il vous plaît, je préviens monsieur Gaillard. Il avait une minute d'avance, il avait rendez-vous à trente, il était vingt-neuf.

Sa fille aussi lisait *Détective*. Sa fille était née dans les premières années de leur union, fruit d'une libération anticipée due aux grâces du 14 Juillet, pour l'accouchement il était déjà retombé. Et maintenant elle lisait *Détective*. Comme sa mère et comme sa grand-mère avant elle.

La secrétaire lui avait proposé un café et il avait dit non, merci, je vous remercie. Il était supra-intelligent et il contrôlait parfaitement la situation.

Il avait des papiers au nom de monsieur Häss.

Des attestations d'emploi.

Des diplômes.

Une revue de presse abondamment fournie sur les performances de l'entreprise qu'il avait dirigée des années durant, là-bas, en Amérique du Sud.

Et un grand papier, son portrait, dans le *Herald Tribune*, le définissant comme un manager hors pair, une valeur sûre.

Il avait même pensé se faire une fausse Légion d'honneur mais ça risquait de faire trop.

Il avait aussi des faux billets, le gars chez qui il avait bricolé son dossier en photocopiait en pagaille.

Vingt-deux ans de prison.

Des contacts avec la pègre dans le monde entier.

Et il allait intégrer un gros groupe industriel.

Au plus haut niveau.

Avec les plus hautes fonctions.

Les doigts dans le nez.

– Comment allez-vous ?

Il s'était levé. La fièvre n'était pas tombée, il avait comme des secousses qui venaient lui cogner à l'intérieur des tempes.

Il était mort des années auparavant et tout cela n'avait donc qu'une importance limitée.

Une importance relative.

– Je vous en prie.

Ils étaient trois dans le bureau, celui qui était venu le chercher, le chasseur de têtes de la société, un qu'il avait déjà vu, et un autre, vraisemblablement le ponte au-dessus, d'après ce qu'il en savait ils étaient encore deux candidats en lice, lui et un autre type venant de l'entreprise concurrente de la société.

– Bonjour, enchanté...

Il était pris soudain d'une vision atroce, un incendie venait de se déclarer et il se trouvait avec un groupe de pompiers devant une pinède, tentant de circonscrire le sinistre, quand, surgie d'on ne sait où, une silhouette se précipitait dans le brasier, trop rapide pour que l'on puisse l'arrêter, et en un clin d'œil elle disparaissait dans les flammes, scène horrible qui les laissait, lui et les pompiers, le souffle coupé, pétrifiés par la stupeur.

– Voilà donc notre oiseau rare !

Il avait pris l'habitude d'analyser les gens en tenant compte du maximum de paramètres, froidement, de manière rationnelle autant qu'intuitive, et au vu de celui qui venait de parler, il avait conclu que ce n'était pas gagné. Pas gagné du tout.

– ¿ Le gusta a usted Jorge Luis Borges ?

Il avait souri, avec la fièvre il se sentait moite, des rigoles de sueur lui dégoulinaient le long du dos.

– ¡ Claro, un gran escritor ! Es un maestro, no solo en la literatura suramericana sino tambien uno de los autores mayores del siglo XX.

Il avait répondu du tac au tac.

Un rideau de flammes empêchait de distinguer quoi que ce soit. Mon Dieu, murmurait un pompier, il est fichu.

Il avait dû recommencer ses explications, son exil à vingt-deux ans, son ascension en Argentine, sa vie, ses réussites, le désir de sa femme de revenir en France, et sa foi dans l'avenir, non, le fait d'avoir quarante-huit ans ne l'en avait pas dissuadé, tout à fait sincèrement je crois être suffisamment valable et expérimenté pour susciter un intérêt de la part d'un groupe comme le vôtre, quant à créer sa propre entreprise il y avait certes songé, mais pour être franc il se sentait plus à l'aise au sein d'une grosse machine, aux commandes d'un appareil d'une certaine envergure.

– Même si l'aventure est certainement tentante, j'avoue ne pas me voir très bien au volant d'une P.M.E.

Cela avait fait sourire le ponte. Sourire et confiance. Il était supra-intelligent, supra-intelligent et sans limite aucune. La silhouette venait de réapparaître, regardez, hurlait un pompier, regardez il est là.

– Le salaire annoncé, huit cents kilofrancs annuels, ne vous paraît pas trop inférieur à ce que vous espériez ?

Il avait toisé le type au fond des yeux, si vous voulez bien et si évidemment je conviens pour le poste, nous pourrions en reparler dans un an, je pense être alors en mesure de prétendre à quelque chose de plus conforme à mes compétences. Il avait eu un bref flash : lui, dans la cour de la Santé, en train de discuter avec ses codétenus, trois semaines auparavant.

– Et la restructuration de cette branche de l'activité n'est pas non plus quelque chose qui vous effraie ?

Il avait étudié le dossier à fond, calme joueur d'échecs échafaudant à partir d'éléments objectifs une ébauche de stratégie, et le verdict était sans appel, il fallait bel et bien licencier.

– Vous n'ignorez pas l'esprit qui règne à tous les niveaux de notre société, des mesures trop draconiennes seraient préjudiciables à cette culture de solidarité que nous essayons de maintenir malgré la crise.

Il avait opiné, en faisant part des suggestions, départs anticipés, plans divers, et plus original, il avait remarqué qu'une des branches du groupe avait lancé une petite unité de production en province, dans le Sud-Ouest, un endroit paradisiaque, et de plus en plus de citadins souhaitaient tendre vers une émigration sous des cieux plus cléments, n'est-ce pas, pourquoi, alors que l'usine tournait en sous-effectif et à la moitié de ses potentiels, ne pas inciter une partie du personnel à s'installer là-bas, l'inciter à relever ce challenge prometteur ? Les trois approuvaient, attentifs et concentrés, pas con avait dit le ponte, vous marquez dix points. Le chasseur de têtes avait l'air content. De nouveau l'horrible gnome venait de retraverser le rideau de fumée. Seigneur, gémissait le pompier, seigneur Jésus ! Le type était noir, comme entièrement carbonisé, et malgré tout on le voyait bondir, monté sur ressorts, un démon, un démon sorti des enfers.

– L'avantage avec votre solution c'est qu'elle s'inscrit dans une logique positive, un dynamisme...

Il avait l'impression que la réalité se découpait soudainement en tranches, un peu de la même manière qu'un écran de télé se scindait en de multiples cases sous l'impulsion de la télécommande, avec les numéros inscrits en bas des petits rectangles, mais là, au lieu de s'afficher dans la lumière cathodique c'était en trois dimensions que se présentaient une à une les scènes, des scènes incongrues, le démon dans l'incendie, lui en prison, sa femme et le plus vieux chien de France, son secret c'est l'amour bien sûr, le faux-monnayeur lui tendant sa carte d'identité et une grosse liasse de faux billets, tiens, défauche-toi, et ses vrais diplômes réussis en détention et que sa fille avait encadrés dans la salle à manger.

Je veux être tranquille.

– Pardon, avait dit le chasseur de têtes, je n'ai pas compris...

Il avait la bouche paralysée par une crispation nerveuse.

Une nouvelle strate de bizarrerie paraissait sortir du mur derrière eux.

– Ma femme aspire à une vie tranquille, elle est contente d'être rentrée en France.

Je veux une vie tranquille il avait repensé, et c'était comme un souvenir extrêmement lointain. Un souvenir qui remontait à avant sa naissance.

Il y avait une présence devant lui, une présence auprès de qui il tentait d'argumenter, je désirerais une vie tranquille, quelque chose de pas trop mouvementé, essayant au maximum d'être convaincant, mais alors que tout était calme, une sorte de chaos envahissait soudain l'espace, l'entité face à lui souriait, désolé mais ça n'est pas possible, pas possible du tout, et tout devenait noir, âpre et rugueux, et il se sentait plonger dans la nuit.

– Bien, vous êtes facilement joignable dans les prochains jours ?

Le chasseur de têtes en le raccompagnant à l'ascenseur lui avait serré l'avant-bras d'un petit geste de contentement, je crois que vous avez vos chances. Dehors les façades des immeubles reflétaient un ciel sans nuages, il avait repris le métro dans l'autre sens, c'était une journée étrange.

Le Diable et les rues de Paris

La première fois qu'il l'avait clairement pensé, ou plutôt qu'il se l'était formulé avec précision, c'était dans les embouteillages, entre Opéra et Palais-Royal, le client à l'arrière avait dit quand même, vous ne trouvez pas qu'il y a quelque chose qui ne tourne pas rond, qu'il y a quelque chose qui cloche, et ça lui avait fait comme une illumination, il avait dit oui, je crois que vous avez raison, effectivement ce qui arrive en ce moment est bizarre.

LE MONDE COURAIT À SA PERTE, LE MONDE COURAIT À SON DÉCLIN ET PERSONNE N'EN AVAIT CURE.

Il avait longuement médité cette constatation, jusqu'à Orly où il avait déposé son client, et après le soir, de retour chez lui, avant de s'endormir, un peu effrayé et en même temps excité, il y avait repensé, LE DIABLE A PRIS POSSESSION DU MONDE ET NOUS ALLONS TOUS Y PASSER. C'était l'évidence, l'évidence même, comment ne pas y avoir songé plus tôt.

Au début, il travaillait pour une grande compagnie, avant de racheter la plaque de son père, quand celui-ci avait pris sa retraite. L'avantage avec la compagnie résidait dans la logistique, le dispatch vous envoyait l'appel, et tout ce qu'il fallait faire c'était s'y rendre, charger le client et puis basta, l'inconvénient c'est qu'on était au tapin pour la G 7, Malakoff je prends, six minutes, et il en avait mis presque dix, la contrôleuse était déjà sur place, sa montre chronomètre et sa feuille de rapport en évidence sur le tableau de bord, une petite mamie avec des yeux méchants, la hantise des chauffeurs, on avait droit à une minute de tolérance, jusqu'à deux ça passait, à trois c'était limite. Une autre fois il s'était carrément pris quatorze minutes dans la vue, le responsable lui en avait parlé le soir même. L'un dans l'autre il préférait encore l'indépendance, ces histoires de contrôle et de pesanteur hiérarchique il trouvait ça insupportable.

L'immeuble où il habitait était ancien, à la limite de la vétusté, sans charme particulier, la boule de l'escalier avait été volée depuis longtemps et il n'y avait plus de concierge, c'était celle d'à côté qui venait faire le ménage une fois par semaine. Au premier il y avait des vieux, au deuxième des vieux, au troisième aussi, au cinquième un jeune bizarre qui faisait des sculptures avec des ossements de chats et de hérissons écrasés qu'il ramassait sur le bord des routes, plus un autre vieux au sixième, avec sur le même palier des Zaïrois qui squattaient depuis l'hiver précédent.

Il s'était demandé jusqu'à quel point le mal était profond, si le poison s'était insinué dans le tréfonds du système ou s'il y avait encore des couches saines, vierges de toute contamination, à l'écart ou rétives au suc venimeux du Malin.

Certainement peu.

Peut-être quelques zones miraculeusement protégées, voire des individus imperméables aux influences extérieures, mais dans sa grande majorité c'était l'ensemble même de la société qui était touché.

Le Diable.

Les influences diaboliques.

En plein Paris.

Et lui roulant dans la ville, ayant conscience de tout ça.

Plus il y réfléchissait et plus cela lui paraissait limpide, extrêmement clair, le Mal avait bénéficié d'un outil on ne peut plus performant, d'une arme fatale, apparemment inoffensive mais qui s'était révélée le plus violent des venins, une bombe à l'efficacité cent pour cent, et cette arme c'était l'automobile.

La voiture.

On ne trouvait aucune trace d'un projet quelconque d'engin mécanique, dans les textes antiques, qu'ils soient égyptiens, grecs ou romains, il fallait attendre le milieu du quinzième siècle, 1475 exactement, pour voir apparaître, dans le remarquable incunable de Valturio, un dessin de « musculus », sorte de tortue composée d'un châssis monté sur quatre roues, avec une toiture inclinée, actionnée par un mécanisme intérieur.

Une autre gravure de Valturio montre une imposante tour d'assaut, mue par des engrenages à moulin à vent.

D'autres esprits brillants avaient, pendant cette période bénie de la Renaissance, conçu d'autres engins compliqués. Les carnets du grand Léonard de Vinci en portaient d'ailleurs témoignage, vers la fin du quinzième siècle, cet esprit lumineux avait étudié une possibilité de voiture mécanique. C'était clair, et limpide comme de l'eau de roche, irrité par les chœurs de la Renaissance, le Mal, sournoisement, semait çà et là les germes de ce qui allait devenir l'outil de sa revanche, l'outil de son triomphe, l'Automobile.

Il était resté éveillé jusqu'au petit matin, à parcourir fébrilement les deux grands numéros hors série de *L'Illustration* consacrés à la locomotion, hagard, et en même temps fasciné par l'ingéniosité, la puissance d'opiniâtreté et la patience du Malin.

Il y avait eu les voitures mécaniques, les voitures à voiles, et même une tentative avec des cerfs-volants, le « charvolant », dont il était dit qu'il avait parcouru un mille en deux minutes trois quarts, mais il fallait que surgisse Papin et son projet de moteur à vapeur pour entrevoir avec précision ce qui donnerait naissance à l'effroyable monstre que nous connaissons aujourd'hui.

« ... *Comme je crois qu'on peut employer cette innovation à bien autre chose qu'à lever l'eau, j'ai fait un modèle d'un petit chariot qui s'avance par cette force...* »

Il était parti bosser un peu dans les vapes, dans le chaos et le bruit, le bruit, le bruit, les embouteillages du matin. Parfois il faisait la journée, parfois la nuit, c'était l'avantage d'être son propre patron, la liberté et la souplesse.

D'après Michelet peu avant l'an mille les gens avaient conçu pour ce chiffre fatidique une vive terreur, croyant la fin du monde proche et certaine, « *ces excessives misères brisèrent les cœurs et leur ren-*

dirent un peu de douceur et de piété. Ils mirent le glaive dans le fourreau, tremblant eux-mêmes sous le glaive de Dieu ».

Il était étonnant que personne n'eût encore songé à établir un parallèle avec l'époque actuelle.

La fin d'un siècle.

Et la fin d'un millénaire.

La fin d'une ère.

Quelqu'un devant klaxonnait au feu rouge parce qu'une voiture était bloquée au milieu.

Klaxon. Enervement. Bruit et stress constants. Il s'était efforcé au calme. En respirant doucement, en faisant jouer les muscles de ses épaules. Ne pas donner prise. Aussi lisse qu'un silex poli par la mer.

Il avait mis le doigt sur quelque chose d'immense, d'inconcevable, et pas besoin d'être grand clerc pour supposer que le secret avait intérêt à le rester.

Dans l'immeuble le voisin qui faisait des sculptures à partir de squelettes l'avait récemment entrepris avec une série de dessins représentant le Diable et des sorciers, des créatures aux pieds fourchus, des cornes, des boucs dont le regard incandescent s'illuminait sur fond de sabbat et de pleine lune, le Diable tu sais est quelque chose de fascinant, le malheureux écoutait des groupes de métal rock alors que comment ne pas voir que toutes ces sornettes n'avaient qu'un but, qu'une fonction, détourner l'attention de l'essentiel, du véritable travail de sape entrepris depuis plusieurs siècles par un esprit supérieur et sans limites, le Mal lui-même, le Mal en action. Comment pouvait-on être assez idiot pour imaginer une seconde que tous ces vulgaires colifichets stupides et grossiers représentaient l'image réaliste, même lointaine, d'une des deux grandes forces régissant le monde.

– C'est coincé, hurlait quelqu'un qui était descendu de sa voiture, reculez s'il vous plaît, c'est coincé.

Les véhicules étaient enchevêtrés les uns dans les autres, les feux ne marchaient plus, il avait réalisé que c'était le jour de la grève générale qu'on annonçait depuis plusieurs jours.

– Mais tu vas bouger gros con, renchérissait une femme, vous voyez bien que l'on ne pourra jamais passer, je ne vois vraiment pas ce que ça vous apporte de bloquer tout le monde.

Des fous. Des fous hystériques ayant perdu l'esprit.

Des possédés.

Il était resté tranquillement à écouter la radio jusqu'à ce que le début d'émeute se tasse, que la voiture fautive se pousse et que l'on puisse passer. De toute façon, c'était la grève, le bordel partout, pas la peine de s'énerver pour si peu, il y avait des choses autrement plus dignes d'intérêt. Autrement plus importantes.

Il avait rendez-vous avec des architectes, un de ses bons clients réguliers qui parfois le louait à la journée, c'était des moments de détente, un jour entier à faire le chauffeur en écoutant distraitement ce qui se racontait derrière. Dieu merci les embouteillages s'étaient estompés, en général à part aux heures de pointe les jours de grève ça roulait presque mieux que d'habitude. Les gars étaient au rendez-vous, ce n'était peut-être pas exactement des architectes, plutôt des urbanistes ou des promoteurs, il avait dû se faire tous les quais de la Seine, de l'île Saint-Germain à Gennevilliers, la zone était sensible et se prêtait à toutes les projections spéculatives, qu'allait devenir Billancourt, et les terrains appartenant à la Régie, il avait cette cassette des plus belles mélodies du peuple juif qui jouait en sourdine et il s'était demandé pourquoi tout ça avait pris cette direction, la folie, les marteaux piqueurs et les immeubles modernes, sans sur le moment arriver à trouver une réponse.

– J'attends l'avis du préfet, disait l'autre sur le siège arrière, je ne pense pas que cela nous pose de réel problème. J'aurais plutôt tendance à penser que notre proposition sera bien accueillie.

Bien accueillie, ah, ah, avait renchéri l'autre, effectivement, il y a des chances que oui.

Il avait l'impression d'une présence très forte tapie entre les deux hommes qui leur soufflait leurs répliques, Sa Majesté Satanique étudiant en gloussant la défiguration définitive des berges de la Seine. A Gennevilliers ils avaient fait demi-tour, après il faut un passeport avait rigolé le gros, un passeport ou un fusil, oh, oh, avait approuvé l'autre, et tout le chemin du retour ils avaient disserté sur la difficulté qu'il y avait eu à nettoyer le pont de Levallois et les projets pour Issy-les-Moulineaux, si le maire arrive à faire dégager la centrale d'incinération on peut envisager une tranche supplémentaire. De toute façon petit à petit avec la fermeture des usines la population allait bouger. Beaucoup d'ouvriers de Chausson avaient déjà été déportés vers Trappes. Si on arrive à faire partir toute la cochonnerie qu'il y a par là, c'est un site intéressant. Proche de Paris ça peut valoir de l'or. Sans les Arabes bien sûr. Bien sûr. Avec les Arabes c'est cuit. Mettez un Arabe dans votre immeuble, vous êtes sûr que le prix baisse, hu, hu.

Il les avait déposés à la gare, au revoir, oui, au revoir, le gros lui avait dit d'arrondir à la centaine supérieure et de le marquer sur la fiche. A bientôt je vous appelle.

La question de fond était de savoir pourquoi on en était là.

Qu'est-ce qui avait bien pu se passer pour que les choses prennent cette tournure. Cette tournure sinistre.

Le soir il avait été au cinéma, voir un thriller où un serial killer assassinait des gens selon une logique mystérieuse issue des sept péchés capitaux et à un moment une phrase était venue en sous-titre, crevant l'écran de son aveuglante limpidité :

NOUS NE SOMMES PAS CE QUI AVAIT ÉTÉ PRÉVU.

Il en était resté paralysé sur son siège, nous ne sommes pas ce qui avait été prévu, anéanti encore une fois par cette deuxième constatation. Notre évolution s'était mal passée, nous avons merdé quelque part et maintenant c'est Lui qui a réussi à s'infiltrer, à prendre les commandes du vaisseau et qui va nous précipiter droit dans le mur.

Ses rêves avaient été peuplés de formes bizarres, de Léviathans et de voitures, le gros promoteur avait une toge rouge et ressemblait à Néron, l'empereur romain incendiaire.

Les jours suivants la grève avait pris de l'ampleur, lui posant des problèmes sans nom et le stressant, mais il s'était malgré tout concentré sur ces nouvelles données, l'esprit tendu par cette unique équation, que s'était-il passé et quelles étaient aujourd'hui les issues, pour autant encore qu'il en existe, l'image qui s'imposait était un énorme moteur, un moteur de camion, qu'il fallait démonter boulon après boulon, et dont le fonctionnement apparaissait d'une complexité inouïe, tout ça dans le boucan, les klaxons, et l'énervement, puissance dix par rapport à d'habitude, les gens rendus fous à cause des grèves et des tracas que cela occasionnait. Il était resté bloqué quatre heures durant dans le souterrain des Halles et un conducteur à bout s'était mis à donner des coups de pied dans son taxi, pousse-toi enculé, laisse-moi passer, il avait vu rouge et l'avait shooté avec la batte de base-ball qu'il gardait sous le siège.

Des possédés.

Des possédés rongés par le Malin.

Il devenait urgent de songer à se protéger.

Il avait l'impression par instants que sa tête allait exploser sous l'effort, comprendre était devenu l'objectif numéro un, comprendre pour se défendre, dans un premier temps, et puis réagir, et pourquoi pas tenter de renverser, si cela était grand Dieu encore possible, la dynamique mise en œuvre par les forces obscures.

Ça l'asphyxiait et le rendait presque fou.

Il avait le sentiment de se heurter à un blockhaus verrouillé et inaccessible.

La forteresse du Diable.

Des voitures.

Du bruit.

Et des rues embouteillées.

Des autoroutes.

Comme des lignes sur une page blanche.

Des signes épars projetés dans un ordre aléatoire et vide de sens. Et vide de sens.

Ça l'avait frappé de plein fouet. Il y avait eu la veille une émission sur la cabale, son origine et ceux qui l'étudiaient.

Une façon d'appréhender le Grand Livre comme une organisation logique et réfléchie. Un Grand Livre où le hasard était totalement absent.

Il était de nouveau bloqué, au-dessus d'une bretelle, vers porte de Bagnolet, et là encore il avait dû se faire violence pour ne pas rester tétanisé, pétrifié, submergé par cette vérité lumineuse qui scintillait devant ses yeux : LE MONDE ÉTAIT UN LIVRE, ET CHAQUE ACTION, CHAQUE FAIT, CHAQUE PERSONNE RENCONTRÉE, UNE LETTRE D'UN ALPHABET IMMENSE DÉCLINANT À L'INFINI UNE HISTOIRE GIGANTESQUE.

– Ça se débloque, avait dit son client, vous devriez en profiter, après on va être fichus pour de bon.

En dessous les voitures se déversaient, COMME LES NOTES ÉPARSES D'UNE PORTÉE MUSICALE, COMME DES LIGNES SUR UNE PAGE BLANCHE, chaque véhicule venant s'inscrire sur le feuillet gris de l'autoroute. LE MONDE ÉTAIT COMPOSÉ DE SIGNES QUI ATTENDAIENT LEUR LECTEUR.

Il y avait ce livre qu'il avait parcouru des années auparavant. *Le Mystère des cathédrales*, de Fulcanelli, les cathédrales représentaient une sorte de grimoire ésotérique façonné par les alchimistes et les initiés au fil des siècles, et ma foi c'était d'une simplicité enfantine, le monde lui-même n'était pas autre chose qu'une immense cathédrale où flamboyaient pour qui savait les voir les instructions et les explications concernant la marche à suivre et les attitudes à adopter.

Pour qui savait les voir.

L'autre chose qui lui avait également sauté aux yeux, puisque le hasard n'existait pas, c'était sa place au sein de ce gigantesque ouvrage, sa place et le cadre dans lequel il devait évoluer, les pages du chapitre qui lui était dévolu, il était chauffeur de taxi, à Paris, Paris et lui, son taxi comme un curseur magique lui permettant de déchiffrer, rue après rue, place après place, la vérité et le sens des choses.

LA LUMIÈRE ÉTAIT GRAVÉE TOUT AUTOUR DE NOUS, ET NOUS, AVEUGLES, NE LA PERCEVIONS PAS.

Dans son immeuble un vieux était décédé, les autres parlaient de se cotiser et peut-être d'assister à l'enterrement, en proche banlieue, le fils avait acheté un caveau là-bas, il lui avait demandé si peut-être avec son taxi...

– Non, il avait écarté la suggestion, merci, non, aucune envie de se trimbaler les voisins jusqu'à Bagneux, malheureusement désolé je ne peux pas, j'ai un empêchement ce jour-là.

Mais les vieux avaient insisté, vous vous rendez compte avec la grève, il avait fini par accepter. Toute la nuit le voisin d'en dessous, peut-être pour célébrer l'événement, le cadavre du vieux était encore en bas dans l'appartement, avait mis de la musique, du hard rock, et à la fin il avait été obligé de descendre avec la batte pour lui dire de la fermer et comme en remontant les Zaïrois foutaient le bordel aussi il en avait shooté un au passage, un petit qui paraît-il vendait de la drogue, provoquant un esclandre et l'intervention de police secours.

Il se sentait de plus en plus nerveux, irritable, et prompt à avoir recours à la violence.

Le lendemain dans la voiture il avait été question de ça, des Noirs, du bruit, des allées et venues et de celui qui vendait de la drogue, et que la police avait finalement emmené, c'était curieux de les voir dans son rétro, quatre vieux partant à l'enterrement d'un cinquième, ses voisins de tous les jours, moins un qui était mort.

Ils avaient convenu qu'ils paieraient la course aller-retour mais que par contre il ne compterait pas l'attente, de manière à participer, à marquer un peu le coup, vis-à-vis de l'événement.

La radio par une ironie curieuse jouait une chanson pleine d'à-propos :

Ne crois pas, ne crois pas,
Que tu resteras beau gars,
Ne crois pas, ne crois pas,
Que la vieillesse ne te prendra pas...

Avec la grève ils avaient mis presque deux heures et quart pour arriver sur les lieux, le corbillard, de son côté, avait dû faire un choix d'itinéraire encore moins heureux parce que non seulement il n'était pas sur place mais en plus ils avaient dû l'attendre encore une bonne heure.

Il avait décidé qu'il s'agissait d'une journée sacrifiée.

Un jour de deuil.

La charnière précise entre l'existence d'aveugle qu'il avait vécue jusqu'à présent, et sa nouvelle quête, le destin puissant qui s'offrait à lui.

SAVOIR REGARDER LE MONDE.

La cérémonie était minable, un curé avait dit une homélie terne, convenue et sans intérêt, à l'image de la vie du vieux. Il était resté un peu en retrait, à discuter avec le gardien, des enterrements aujourd'hui, de la religion en perte de vitesse, du sida, et des jeunes drogués qui mouraient, parfois sans famille, et qu'on enterrait dans un coin, la version moderne de la fosse commune, ah, ah. Pour rentrer ils avaient mis quatre heures et seize minutes, il avait dû arrêter le compteur, et leur faire un forfait.

Quelqu'un, probablement un Zaïrois, avait chié sur son paillasson, il avait été obligé de frotter à l'eau de Javel. A partir de maintenant chaque mot, chaque geste, avait un sens.

JE DOIS COMMENCER À NETTOYER LA MERDE.

La grève prenait des proportions inquiétantes, certains parlaient d'une démission possible du gouvernement, à la télé le vendeur d'un magasin de sport montrait les rayons rollers et V.T.T. vides, il avait eu du mal à trouver le sommeil, LE SALOPARD NOUS TIENT DANS LE CREUX DE SA MAIN ET NOUS LE FAIT SENTIR, et cette triste constatation n'avait rien pour le rassurer.

Vers quatre heures du matin, alors que ses rêves se peuplaient de fantômes hideux, de squelettes et de cadavres, le téléphone avait sonné, le réveillant en sueur, le promoteur-architecte voulait savoir s'il était libre, oui, maintenant, tout de suite, pour venir le chercher et l'emmener à la Défense, avant la folie des embouteillages, évidemment ne vous inquiétez pas pour le tarif.

Il avait aussi rêvé de triangles.

De triangles et de formes triangulaires.

Ce qui avait forcément une signification.

Le triangle symbolisait la divinité, l'harmonie, la proportion. Pointe en haut c'était le feu, le sexe masculin, pointe en bas l'eau et le sexe féminin. Salomon avait un sceau composé de deux triangles inversés, signifiant la sagesse humaine, et qui était un profond talisman.

La lumière déchirait les ténèbres d'une étincelle réconfortante. Le promoteur attendait en bas de chez lui, il y avait déjà des voitures dans les rues, aux actualités il était question de gens se levant à deux heures du matin pour rejoindre leur lieu de travail.

La grève et le chaos.

Dans un monde de fous.

Et lui au milieu essayant d'y trouver quelques repères.

– En route, avait dit le promoteur, en route mauvaise troupe, vous ne me lâchez plus jusqu'à ce soir, j'ai trop de problèmes avec ces histoires de transports.

Il avait rejoint la Défense par les quais, à la barrière du parking un petit écran annonçait la marche à suivre, reprenez votre ticket, suivi aussitôt après d'une parole encourageante, BON SÉJOUR, et une voix grimaçante avait répété dans son esprit, bon séjour, ah, ah, bon séjour au pays des morts. Une des clés du mystère résidait vraisemblablement dans l'organisation même de la ville, il avait avec lui *Connaissance du vieux Paris* et un gros pavé, *Le Livre des superstitions*, outil indispensable pour s'attaquer à une vérité enfouie, un sens caché des choses, pour remonter jusqu'à la source même où avait pris naissance l'origine de tout.

Peu de temps avant le début de la grève il avait été obligé de prendre le métro, son taxi était en panne, et force lui était de constater que si en surface la situation n'était guère reluisante, les malheureux qui erraient dans ces couloirs verdâtres connaissaient un tourment encore plus grand.

Des rats.

Des rats ayant perdu toute chance d'accéder à une parcelle d'humanité.

Et comment aurait-il pu en être autrement ?

N'importe qui un peu attentif empruntant ces escalators et ces tapis roulants, la foule, les odeurs, les visages fatigués et absents, DÉSINCARNÉS, s'en serait rendu compte immédiatement.

Bon séjour.

Bon séjour au pays des morts.

Ah, ah.

Il avait le sentiment d'une lutte inégale, à l'issue quasi inéluctable. Un combat démesuré où il avait peu de chances, des chances infimes, mais qu'il lui fallait pourtant livrer.

Lui, le Diable, et les rues de Paris comme un ring, un labyrinthe magique le menant au cœur du brasier.

Le promoteur avait trois mille choses à faire, des rendez-vous dans une tour, il avait dû l'accompagner et laisser ses papiers d'identité contre un badge, avec pour consigne de se tenir prêt à repartir, il pouvait patienter dans le hall où marchaient plusieurs télés, et aller déjeuner le midi au self.

Au self de la tour.

La vérité était inscrite en toutes lettres, des lettres immenses tracées à même le sol au fur et à mesure de l'édification de la ville et qu'il n'arrivait pas encore à lire.

Il s'était demandé quel avenir il avait devant lui.

Certainement pas grand-chose.

Il aurait été pour le moins curieux qu'on le laisse persévérer trop longtemps.

Don Quichotte.

Don Quichotte et face à lui une cause perdue.

A seize heures le promoteur était redescendu, pour finir il n'avait plus besoin de la voiture aujourd'hui, ce qui fait qu'il avait empoché les billets et qu'il était parti, rien que la traversée du pont de Neuilly avait pris quarante minutes.

Il avait le sentiment très fort d'être passé à côté de quelque chose.

Les tours.

Les tours de la Défense représentaient un signe qu'il n'avait pas su voir.

Un peu avant la porte Maillot quelqu'un l'avait hélé, au début de la grève les gens se ruaient sur les taxis mais au fil des jours comme de toute façon rien n'avançait et qu'on allait encore plus vite à pied parfois il restait un moment sans personne.

Un moment seul dans sa voiture, au milieu de la folie et du tourbillon, en essayant de se concentrer.

– Bonjour, avait dit l'homme, je vais au Trocadéro.

Et il l'avait immédiatement trouvé bizarre. Un Asiatique en costume, le crâne rasé, et ressemblant de manière très nette au monsieur Ming de *Bob Morane*.

La discussion s'était immédiatement enclenchée sur les flux vitaux, l'énergie qui parcourait le corps, et la cuirasse musculaire, vous savez que la conduite automobile est une des pires choses qui soient, tenir un volant toute la journée réduit à néant nos chances d'avoir un corps souple où les courants vitaux circulent librement.

L'automobile est un piège du Diable, ho, ho.

Ho, ho.

Et il était descendu, après avoir payé, un bonze étrange devant le palais de Chaillot.

Un signe et un message.

Comment pouvait-on évoluer, vivre sa vie, courir constamment après des chimères, dans le raffut infernal de la ville, sans voir le drame, la tragédie affreuse se jouant en permanence.

Un autre client s'était immédiatement engouffré à sa suite, pour la Maison de la Radio, qui était à deux pas, mais comme ça il bloquait le taxi, hier, j'ai attendu trois heures sans succès, merci bien, je vous bloque, et ne vous inquiétez pas pour l'argent, je vous dédommage le prix nécessaire. De nouveau il avait senti la sensation extrêmement nette d'une présence diffuse autour de lui.

– J'ai une émission, un direct, et puis nous allons à Bagneux, interviewer un peintre.

– Ah, il avait dit, à Bagneux, comme c'est curieux, j'y suis justement allé avant-hier, en appuyant bien sur le curieux, histoire de faire comprendre qu'au moins il n'était pas dupe.

Qu'au moins il avait une vague conscience de ce qui se tramait.

– Vous faites des émissions, il avait demandé, vous êtes journaliste ?

Il s'était garé sur le parking, là aussi le type avait un passe, les clés magiques des barrières du monde, sans carte magnétique que faire, tout à l'heure en attendant le promoteur il avait surpris une conversation concernant un malheureux qu'on avait renvoyé, licencié, au revoir mon bon ami, et le pauvre était revenu un jour chercher ses affaires, affaires qu'on avait rangées dans des cartons, et ce qui l'avait le plus achevé, il l'avait expliqué dans une lettre, c'est d'être obligé d'aller au parking visiteurs, comme un moins que rien, de ne plus avoir le passe-société, il s'était tiré une balle dans la bouche avec un fusil de chasse, au pied des ascenseurs. Au pied des ascenseurs des parkings desservant plusieurs sièges sociaux de multinationales.

– Aujourd'hui le sujet de l'émission risque de vous paraître un peu obscur, il s'agit des forces telluriques, je crains qu'un profane ait tendance à trouver cela légèrement nébuleux.

Il avait suivi le journaliste à l'intérieur du bâtiment, voyage initiatique au cœur d'une architecture fleuron de l'époque gaullienne, après la guerre d'Algérie et pendant la période bénie du Grand Essor Economique.

La période de la multiplication des automobiles.

Là encore il avait fallu laisser sa carte d'identité.

Son nom et sa carte d'identité.

Maintenant il y avait tout un système de numéros, une armada de numéros, pour les cartes, les codes, les téléphones, les digicodes, les numéros confidentiels, une folie chiffrée qui elle aussi, à n'en pas douter, avait un sens, un sens précis et une fois encore secret, caché, un sens ésotérique aux implications certainement évidentes et terribles, d'ailleurs les gens dans les camps de concentration n'avaient-ils pas tatoué sur leur avant-bras un numéro, comme une abréviation codée du destin ?

Les studios étaient au rez-de-chaussée de la Maison, mais l'organisation de l'espace y était tellement curieuse qu'il n'aurait su dire s'il était en hauteur, à ras du sol, à droite ou à gauche par rapport à son point d'entrée, le bâtiment semblait avoir été conçu pour qu'on s'y perde.

Le journaliste lui avait demandé d'attendre, il voyait l'émission à travers la vitre, un retour s'échappait des haut-parleurs, POURQUOI NE PAS CONSIDÉRER LA TERRE COMME UN ORGANISME VIVANT, ANIMÉ PAR DES COURANTS, DES FORCES, QUI SERAIENT À LA PLANÈTE CE QUE LE SYSTÈME NERVEUX OU LES VEINES SONT AU CORPS HUMAIN ? La personne qui parlait était petite, presque chauve, comme un personnage de professeur illuminé dans *Tintin*, POURQUOI NE PAS ADMETTRE QUE NOUS N'APPRÉHENDONS QU'UNE MINUSCULE PARTIE DE L'ICEBERG ? Il était ressorti du studio en titubant, à côté de la cabine téléphonique, dans le couloir circulaire desservant les studios d'enregistrement, était placardé un plan de l'édifice, le plan servant aux services de sécurité en cas de sinistre, et mon Dieu le dessin lui avait sauté au visage aussi proprement que s'il avait été animé d'une vie propre, un mandala, le plan au sol du bâtiment représentait un mandala :

Lorsque le journaliste était sorti il était encore devant le dessin. Un schéma secret et pourtant offert, présenté aux yeux de tous, maintenant il en était plus que certain, la vérité était à sa portée et il n'était pas question une seconde de s'éloigner du but, il allait réussir, il le sentait et quand le journaliste avait dit alors, vous avez pu suivre, ça ne vous a pas paru trop fumeux ? il avait répondu d'une voix ferme, non, pas du tout, au contraire, c'était très intéressant.

Très intéressant et instructif, ah, ah, nous n'appréhendons qu'une minuscule partie de l'iceberg, un véritable scoop, n'est-ce pas ?

Jusqu'à Bagneux la discussion avait roulé sur différents sujets, la radio, la presse aujourd'hui, l'art, le journaliste allait interviewer un peintre, une sorte d'allumé extrêmement intéressant mais rétif à tout contact, vous vous rendez compte qu'il préfère travailler comme gardien de nuit plutôt que d'essayer de faire la moindre démarche pour vendre ses tableaux, avant de descendre de la voiture le journaliste avait précisé le titre de la dernière toile du type, *L'Espace entre les automobiles*, en fronçant le visage dans une mimique expressive, pour un chauffeur de taxi c'est un titre qui doit vous parler, non ?

Il avait rendu la monnaie et fait la fiche demandée, sans répondre, chaque personne montant dans son taxi était porteuse d'un message, d'une indication à son unique intention. Il avait remis le cap sur Paris, chargeant presque aussitôt un nouveau client, un prêtre spécialisé en théologie, avec qui il avait parlé du Bien et du Mal, suivi d'une femme mutique, nantie de lunettes à double foyer, qui lui donnaient un regard bizarre et propice à tous les sous-entendus.

Puis un acteur qui récitait son texte, une pièce de Shakespeare, *Hamlet*, où il était question d'un fantôme.

Des gens avaient vu une apparition et en faisaient part au jeune Hamlet. Après, avec une prof de français, ils avaient parlé de Don Quichotte.

« *En un village de la Manche, du nom duquel je ne*

me veux souvenir, demeurait, il n'y a pas longtemps, un gentilhomme de ceux qui ont lance au râtelier, targe antique, roussin maigre et lévrier bon coureur... »

Un ouvrier portugais, son beau-frère l'aidait à finir la charpente du pavillon, la discussion s'était enclenchée sur la construction, les maisons et la crise du bâtiment, et il y avait vu une allusion claire et précise sur l'importance de cimenter pièce après pièce sa stratégie.

« *Et ainsi, sans communiquer à personne son intention et sans qu'aucun le vît, un matin, devant le jour, il s'arma de toutes pièces, monta sur Rossinante ayant mis sa mal agencée salade, embrassa son écu, prit sa lance et, par la fausse porte d'une basse-cour, sortit à la campagne avec un très grand contentement...* »

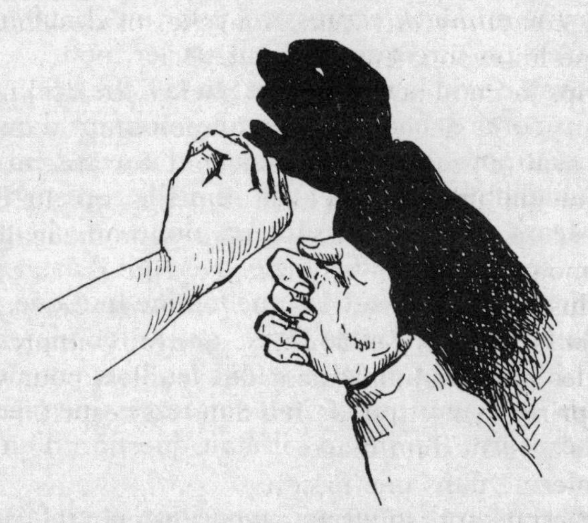

Il était de plus en plus prompt à avoir recours à la violence.

Il avait comme un coup de blues.

Un coup de mou et un grand coup de fatigue.

Avec le dernier client il avait été question de *Taxi Driver*, De Niro au bord de la folie dans les rues de New York, et lui opinant, entre porte d'Orléans et Alésia, le flot immobilisé à perte de vue, la ville entière qui craquait sous la grève, la neige qui commençait à tomber donnait à toute la violence, accumulée pendant deux semaines de folie, une douceur inattendue.

Et puis juste après s'être garé au box il avait comme tous les soirs inspecté les sièges, la banquette arrière, et passé son petit coup d'aspirateur, et là, coincé entre la portière et le bord du siège, à moitié plié, il avait trouvé le texte, des photocopies agrafées ensemble, avec le titre tapé proprement à l'ordinateur, *L'Ecriture du Dieu*, Nouvelle, et des initiales qui ne lui évoquaient rien, J.-L. B.

Dans la demi-pénombre du garage les feuilles faisaient sur le siège une tache blanchâtre.

Il avait commencé à lire, c'était certainement la femme mutique aux grosses lunettes qui lui avait déposé ce petit cadeau. L'histoire commençait par ces mots : *La prison est profonde. Elle est en pierre.* Et plus loin, *Je ne sais pas le nombre des années que j'ai passées dans les ténèbres*. Il avait l'impression que les phrases jaillissaient des feuillets pour venir s'imprimer en lettres de feu dans son esprit.

Il s'agissait d'un mage.

Enfermé dans une prison.

Se rappelant, souvenir après souvenir, le monde et son existence passée. Se rappelant que le premier jour de la création le Dieu écrivit une sentence magique capable de conjurer tous les maux, une sentence à l'intérieur de laquelle l'univers entier serait contenu, les étoiles et le ciel infini, une sentence destinée à être lue à la fin des temps, c'est ce que comprenait le mage.

Je réfléchis que nous nous trouvions, comme toujours, à la fin des temps. Il en avait des tremblements, nous nous trouvions, comme toujours, ô mon Dieu, à la fin des temps, bien sûr, évidemment, comme toujours, c'était le comme toujours l'important, il avait l'impression d'être aveuglé par une lumière d'une clarté fantastique.

Dans la cellule jouxtant celle du mage prisonnier il y avait un guépard. Et dans les taches de ce guépard résidait la formule, l'écriture de Dieu.

Il était en sueur, presque au bord du malaise, la bouche sèche.

Les voitures.

Les enseignes lumineuses.

Et les gens dans la rue.

L'implantation des tours de la Défense.

La Maison de la Radio, le mandala, et son taxi au milieu, comme un curseur se déplaçant sur l'écran aveugle du savoir.

Alors arriva ce que je ne puis oublier ni communiquer...

Je vis l'univers et je vis les desseins intimes de l'univers. Je vis les origines que raconte le Livre du Conseil. *Je vis les montagnes qui surgirent des eaux. Je vis les premiers hommes qui étaient de la substance des arbres, je vis les jars qui attaquèrent les hommes, je vis les chiens leur déchirant le visage. Je vis le Dieu sans visage qui est derrière le Dieu.*

Il en était paralysé. Emu. Presque suffocant. Au

bout de la rue les lumières d'un commerce clignotaient, annonçaient Noël.

JE VIS LE DIEU SANS VISAGE QUI EST DERRIÈRE LE DIEU.

Il avait l'impression, non pas de ressentir la même chose, c'eût été prétentieux et irréaliste, mais d'effleurer, de toucher du doigt, de pouvoir imaginer, la course vive derrière ce puits de ténèbres.

Comme le mage, dans sa prison, regardant année après année les taches du léopard, et se souvenant.

Et puis il avait lu la fin du conte, où il était expliqué que le mage, qui avait à sa portée sa libération mais qui refusait le soulagement de son tourment, réalisait l'inintérêt de la moindre pensée égoïste, car pour qui a vu de ses yeux la Grande Roue d'eau et de feu et toute l'immensité du monde le reste n'a somme toute que peu d'importance.

Qui a entrevu l'univers, qui a entrevu les ardents desseins de l'univers ne peut plus penser à un homme, à ses banales félicités ou à ses bonheurs médiocres, même si cet homme c'est lui.

Il avait relu le texte plusieurs fois, en y réfléchissant, en repassant dans sa tête tous les enchaînements des faits bizarres des jours, incapable de formuler ce qu'il éprouvait, une sorte de lassitude ou un découragement, toujours est-il qu'il était remonté chez lui, sans répondre aux saluts d'un vieux croisé dans l'escalier.

Et puis le lendemain il avait repris le chemin du boulot, en chassant de son esprit tous les trucs saugrenus qu'il avait cogités précédemment, de toute façon tout cela n'était pas franchement à sa portée, le sens du monde, les secrets cachés et les voies impénétrables de Dieu, on annonçait la fin de la grève, comme un mauvais sort s'estompant doucement. Avant de décoller il avait balancé les feuillets trouvés la veille dans la poubelle, un chauffeur de taxi, célibataire, avec des problèmes de voisinage et parfois au bord de perdre la boule, dans les bruits et les embouteillages.

Avec la ville autour.

Les enseignes des magasins et les pancartes.

Et lui seul au milieu.

En se demandant parfois si tout cela avait un sens ou pas.

Photocomposition Assistance 44-Bouguenais
Achevé d'imprimer en Europe (France)
par Brodard et Taupin à La Flèche (Sarthe)
le 12 août 1998. 6289U-5
Dépôt légal août 1998. ISBN 2-290-04842-9
Éditions J'ai lu
84, rue de Grenelle, 75007 Paris
Diffusion France et étranger : Flammarion